OLIVIER
CLOD...

le cumul des mandales

Petites phrases, bévues et mots assassins...

Couverture de
Olivier Fontvieille

ÉDITIONS MILLE ET UNE NUITS

LES PETITS LIBRES

n° 83

Inédit.

Notre adresse Internet : www.1001nuits.com
© Mille et une nuits, département de la Librairie Arthème Fayard,
janvier 2013 pour la présente édition.
ISBN : 978-2-7555-0655-6

SOMMAIRE

OLIVIER CLODONG

Politiques : le cumul des mandales

Petites phrases, bévues et mots assassins...

Introduction

« Nous nous servons des mots avec l'habileté mais aussi l'imprudence des ouvriers qui manipulent chaque jour des explosifs », prévenait l'écrivain Gilbert Cesbron. En politique peut-être plus qu'ailleurs, les formules sont en effet à manier avec précaution. C'est du reste ce que font nos élus, qui mûrissent leurs coups médiatiques, affinent leurs raisonnements et prennent soin de tester leurs arguments sur leur entourage. En temps normal en tout cas, c'est ainsi que ça se passe...

Mais il arrive que la machine s'emballe. Des primaires acharnées au PS, une campagne présidentielle intense, des législatives épiques, une élection interne plus que mouvementée à l'UMP et des couacs en série autour de la présidence Hollande... la fatigue et la surmédiatisation aidant, les dernières séquences de la vie politique française ont tourné au cumul des mandales !

Nul n'a été épargné et c'est tout le personnel politique qui s'en est donné à cœur joie. Vedette de ce déferlement de petites phrases, le Tweet en moins de 140 signes fait une apparition remarquée dans la bataille des traits d'esprit, des vacharderies et des dérapages plus ou moins contrôlés. Et désormais, il n'y a plus seulement le *lapsus linguae* (oral), mais aussi *le lapsus digiti*, commis par le doigt sur le clavier, comme la compagne du président Hollande en a fait l'expérience en juin 2012.

Bref, la bataille de la communication est plus sanglante que jamais, quel que soit le canal utilisé.

Tweets acerbes, déclarations à la cocasserie inattendue, réparties hilarantes…, j'ai noté méticuleusement ces bons mots pour ne pas les oublier. J'ai consigné dans des petits carnets ceux qui m'avaient procuré un moment de surprise ou de rire. Jusqu'au jour où quelques-unes de ces notes, par la grâce et l'amitié de Sandrine Palussière et d'Alexandrine Duhin, sont devenues un livre. La parution en septembre 2011 d'un premier volume, *Quand les politiques se lâchent!* (dans cette même collection des « Petits libres »), me révéla de nombreux lecteurs qui disaient partager cet amusement et m'encourageaient à poursuivre l'exercice.

Des élus me confièrent des histoires survenues à l'Assemblée nationale, au Sénat, ou dans leur conseil municipal. Un soir de dédicace, le ministre Pierre Lellouche feuilleta le livre devant moi et, constatant qu'il n'y figurait pas, me demanda s'il « serait dans le prochain »...

Alors, comme les politiques n'arrêtent finalement jamais de nous surprendre et qu'ils enrichissent sans cesse la longue liste de leurs boutades, bévues et autres petites phrases assassines, j'ai rassemblé pour vous quelque 300 nouvelles brillantes anecdotes.

Pas toujours les plus connues, mais assurément décapantes.

Olivier CLODONG

La différence entre le RPR et l'UMP...

En novembre 2012 se déroulent les élections internes à l'UMP. Le duel Fillon-Copé tourne au désastre : les deux candidats se proclament vainqueur devant les micros et les caméras ! Après trois jours de comptages et de recomptages, les résultats sont enfin proclamés, mais immédiatement contestés. L'épisode inquiète et agace les barons de la droite. Certains gardent pourtant le sens de l'humour, à l'image de Thierry Mariani :

« L'avantage au RPR, c'est que nous connaissions le résultat de l'élection 48 heures avant le jour du vote, pas 48 heures après ! »

Twittos politiques

Railleries autour du RUMP

Après les désormais célèbres Cocoe (Commission d'organisation et de contrôle des opérations électorales) et Conare (Commission nationale des recours), les Fillonistes mettent au monde un nouveau sigle maladroit : le RUMP (Rassemblement UMP). Un merveilleux objet de moquerie pour les Twittos, puisque l'acronyme forme le mot anglais « *rump* » qui signifie… « croupion » ! La palme du commentaire le plus drôle revenant à un ancien responsable politique divers-droite de Nice :

« Certains disent que le choix du sigle RUMP n'est pas réfléchi, je ne suis pas d'accord, c'est au contraire un choix très sensé quand on est des trous du c… »

Twittos politiques (suite)

Copé-Fillon en 140 caractères

Fin 2012, la confusion est donc totale à l'UMP. La classe politique est stupéfaite du spectacle offert par la principale force d'opposition. Forcément, Twitter adore ! Même les responsables et militants de droite s'en donnent à cœur joie pour pointer la farce du doigt. À l'image de ce message diffusé par un ancien cadre de l'UMP :

« Après deux jours de manifestation contre le mariage homosexuel…, voilà l'UMP condamnée au mariage homo Copé-Fillon ! »

Fourneyron par Lagarde

La guêpe en kimono

Présente à Londres dans le sillage de François Hollande lors des Jeux Olympiques de 2012, la ministre des Sports Valérie Fourneyron est interrogée au petit matin sur le programme de sa journée :

« On a envie, avec le président de la République, de pouvoir aller voir plusieurs disciplines, qu'il s'agisse de la boxe, qu'il s'agisse du judo, pour aller voir notre porte-drapeau Laura Flessel... »

Et voilà l'escrimeuse française, surnommée « la guêpe » en référence à la vivacité de ses coups d'épée, transformée en reine des tatamis ! La bévue suscite des réactions amusées, la palme de la plus drôle revenant au député centriste Jean-Christophe Lagarde :

« Heureusement que Valérie Fourneyron et François Hollande ne sont pour rien dans nos résultats sportifs, sinon, nos nageurs du relais 4x100 mètres auraient perdu 4-0 ! »

Hollande par les militants UMP

Chat noir

Du strict point de vue météorologique, les premières sorties présidentielles de François Hollande se suivent et se ressemblent. En mai et juin 2012, à chacun de ses déplacements, le nouveau président de la République doit faire face à des pluies diluviennes, quand il ne s'agit pas de véritables tempêtes de grêle ! Une moquerie commence alors à circuler chez les partisans de l'UMP :

« Vous savez que, dans les départements, plus aucun élu ne veut que Hollande vienne chez lui... Ce serait catastrophique pour le tourisme, à chaque fois qu'il se déplace quelque part, il pleut ! »

La plaisanterie trouve un rebond lors de l'Université d'été du PS à la fin août, alors que le soleil est au rendez-vous : « Tiens, François Hollande n'était pas présent à La Rochelle cette année... En même temps, il a fait beau ! »

Hollande par Mélenchon, Pécresse et Boutin

Chat noir (suite)

C'est à l'Allemagne et à Angela Merkel que François Hollande réserve le premier voyage officiel à l'étranger de son quinquennat. Mais peu après avoir décollé de Paris, l'avion présidentiel prend la foudre et se voit contraint de faire demi-tour. Un épisode malchanceux qui déclenche instantanément une avalanche de tweets ironiques. Échantillons :

« Tiens, François Hollande prend déjà la foudre d'escampette face à Angela Merkel ? » (Jean-Luc Mélenchon)

« Hollande foudroyé sur le chemin de Berlin… Aurait-il eu une révélation ? » (Valérie Pécresse)

« Si seulement il avait pris le train, comme un président normal… » (Christine Boutin)

Hollande et Ayrault par Durif

Ce qui est grave…

Cote de confiance en baisse, doutes, erreurs stratégiques, les premiers mois au pouvoir du duo

Jean-Marc Ayrault-François Hollande suscitent de nombreux commentaires et deviennent un sujet de plaisanteries chez les politiques. L'une des plus drôles est l'œuvre du gaulliste niçois Jérôme Durif :

« Ce qui est grave avec le divorce, c'est que tu perds ta femme et la moitié de tes économies de toute une vie. Mais Hollande, c'est plus grave…. Tu perds la moitié des économies de toute ta vie et en plus, tu gardes ta femme ! »

Hollande par Mélenchon,
Baroin, Bourg-Broc, Valls et Klarsfeld

La cible

En politique, c'est un fait, on ne peut pas plaire à tout le monde. Au-delà de l'action, le style même de François Hollande fait souvent grincer des dents ses détracteurs, de gauche comme de droite :

« À présent, à gauche, pourquoi choisir, pour entrer dans la saison des tempêtes, un capitaine de pédalo comme Hollande ? » (Jean-Luc Mélenchon)

« Il fait un pas en avant sur tous les sujets, deux pas sur le côté, à gauche, trois pas en arrière, puis un pas à droite, la pointe des pieds, le talon… : c'est le roi du madison, François Hollande ! » (François Baroin)

« Paradoxalement, il est plus rond de caractère, alors qu'il a beaucoup maigri… » (Bruno Bourg-Broc)

« Quelqu'un qui me dit qu'il est normal, je commence à me méfier… » (Manuel Valls)

« Hollande est comme une petite felouque à côté d'un porte-avions ! » (Arno Klarsfeld)

Besson, Sarkozy, Mélenchon et Aubry par Hollande

La veste, la sardine et le cochon

S'il suscite régulièrement critiques et railleries, l'ancien maire de Tulle et député de Corrèze demeure un boute-en-train. En privé comme en public, François Hollande est assurément l'un des hommes politiques les plus drôles de sa génération. On lui doit notamment ces brillantes formules :

« Une veste de perdue, dix de retournées ! » (à propos d'Éric Besson)

« Quelle est la différence entre Nicolas Sarkozy et la température ?

– Au printemps, la température est censée remonter… »

« Qu'est-ce qu'une sardine ?

– Une baleine qui a vécu cinq ans de sarkozysme ! »

« Jean-Luc Mélenchon entre dans un bar avec un cochon sous le bras.

– Pas de ça ici lance le barman.

– Oh, ça va, répond le cochon, il est candidat à la présidentielle ! »

« Qu'est-ce qu'un échange d'opinions au PS ?

– C'est quand tu entres dans le bureau de Martine Aubry avec ton avis, et que tu en ressors avec le sien ! »

Copé, DSK et Aubry par Hollande

Autres boutades hollandaises…

À celles et ceux qui douteraient malgré tout du talent de François Hollande pour trouver la petite phrase qui fait mouche, voyez aussi ces quelques traits d'« humour corrézien » dignes d'un André Santini des grands jours :

« Qu'est-ce qu'un député UMP avec deux neurones ?

– Un surdoué ! »

« Comment appelle-t-on un politicien avec un QI de 12 ?

– En composant le numéro de Jean-François Copé… »

« Que dit DSK à Anne Sinclair juste après l'amour ?

– Je serai à la maison dans vingt minutes, chérie ! »

« Pourquoi DSK porte-t-il des caleçons en laine ?

– Parce qu'il est frileux des chevilles ! »

« Que fait Martine Aubry avec ses robes usagées ?

– Elle les met ! »

Hollande par lui-même

La photo des JO

Retour aux jeux Olympiques de Londres 2012. À son arrivée au village olympique, François Hollande pose au milieu d'une douzaine d'athlètes tricolores. Tous à l'arrière et lui devant. Lui petit par rapport aux autres très grands (le handballeur Nikola Karabatic et le basketteur Boris Diaw, qui atteignent deux mètres et plus, sont du casting). Ce qui vaut, à l'adresse des photographes, ce trait d'humour et d'autodérision dont raffole le Président :

« Vous les voyez derrière moi ? »

Duflot

Le féminin de candidat

« Il est plus facile de céder sa place à une dame dans l'autobus qu'à l'Assemblée nationale », ironisait Laurent Fabius il y a quelques années. Il est vrai que la présence des femmes dans la vie politique n'est pas une question résolue. Lors des élections départementales (les cantonales) de 2011, Cécile Duflot l'a rappelé avec humour :

« Quel est le féminin de candidat aux cantonales ?

– C'est suppléante ! »

Goulard

Pour reconnaître un ancien ministre...

Les hommes politiques ayant le sens de l'humour sont-ils une espèce en voie de disparition ? On peut, il est vrai, être nostalgique de la repartie d'un Churchill ou d'un Clemenceau. Mais qu'on se rassure, la nouvelle génération assure la relève. Le député François Goulard en est l'un des fleurons :

« Être ancien ministre, c'est s'asseoir à l'arrière d'une voiture et s'apercevoir qu'elle ne démarre pas ! »

« Avec un seul candidat, le choix est quand-même plus restreint ! » (à propos de l'investiture de Nicolas Sarkozy comme candidat de l'UMP à la présidentielle 2007).

Fillon

Pas le moment de parler cucurbitacées...

En déplacement à Guérande le 10 juin 2011, François Fillon (alors Premier ministre), provoque l'hilarité des personnes présentes par cette petite phrase sujette à interprétation, prononcée en pleine affaire DSK (le Sofitel de New York), à propos du développement de la bactérie Escherichia Coli présente dans les graines germées :

« Il faut savourer le concombre ! »

Mitterrand par Fabius

Espoir

Chaque année depuis 1988, le prix « Humour et Politique », décerné par le Presse Club de France, récompense la petite phrase la plus drôle ou la plus maladroite. En 2011, l'ancien Premier ministre socialiste Laurent Fabius obtient la première place du concours pour ce constat lucide :

« Mitterrand est aujourd'hui adulé, mais il a été l'homme le plus détesté de France. Ce qui laisse pas mal d'espoir à beaucoup d'entre nous... »

Girard

Les dangers de la mode

Alain Girard, maire de Crosne dans l'Essonne, est un adepte des mots d'esprit. Lors d'un débat, agacé par un adversaire politique qui se targuait d'être particulièrement à la mode, il cita Jean Guiton :

« Être dans le vent, c'est avoir le destin des feuilles mortes. »

Il y a parfois des réparties qui clouent le bec !

Élus locaux en verve

L'invasion des « 1 »

Question humour, les élus locaux n'ont rien à envier aux ténors nationaux. En témoigne ce petit bijou relevé dans le compte rendu de réunion d'une communauté d'agglomération :

« Les gosses n'apprennent plus rien à l'école ; en histoire-géo par exemple, ils doivent se débrouiller comme ils peuvent. Bientôt, un gamin nous dira par déduction que l'an 1111 correspond à l'invasion des Huns... »

Élus locaux en verve (suite)

Y'a pas d'sous !

Lors des élections municipales de 2001, une mystérieuse équipe présente sa candidature dans la belle ville d'Honfleur. La liste « Y'a pas d'sous », conduite par un dénommé Yan Bourdel, propose un programme loufoque et original qui comporte quelques mesures phares surprenantes :

« L'implantation d'une fabrique de casseroles carrées pour éviter au lait de tourner ? »

« La création d'un centre psychologique pour vaches folles. »

« La limitation de la vitesse de la lumière en centre-ville. »

« Une lampe Berger géante, parfumée à la crevette, pour lutter contre les odeurs du Havre. » (la crevette grise étant une spécialité d'Honfleur, quand Le Havre, la grande ville voisine, envoie aux Honfleurais les effluves nauséabondes de ses raffineries de pétrole…).

Pour la petite histoire, la liste « Y'a pas d'sous » a obtenu cette année-là le joli score de 17,5 % des suffrages, ce qui lui a valu trois élus au Conseil municipal…

Parlementaires en mode « relâche »

Les émules de Vivien

Au Palais-Bourbon, la génération des Robert-André Vivien et Alexandre Sanguinetti, capables de faire s'esclaffer un hémicycle, a fait des émules. Confirmation avec ces propos de députés tenus sous les ors de la République, qui font un tantinet songer au Théo des *Tontons flingueurs* :

« Personne n'a le droit de prendre des mesures dangereuses pour les citoyens. C'est à la loi de le faire ! »

« Monsieur le Ministre, vous avez été applaudi par tous les amputés… »

« Nous savons, Monsieur le Ministre, que rien de ce qui touche aux incapables ne vous laisse indifférent ! »

« Il est vrai que la nature a horreur du vide. Le parlementaire aussi, mais il en prend l'habitude. »

« Je suis un élu du peuple, j'ai le droit de dire n'importe quoi ! »

Fidelin

Le Havre vu de Chine

Dans les contes pour enfants, on raconte parfois que le monde est petit à tel point que nous pouvons nous saluer d'un bout à l'autre de la terre. Une jolie histoire à laquelle souscrit à n'en pas douter le député UMP de Seine-Maritime Daniel Fidelin lorsqu'il déclare :

« Vu de la Chine, le port du Havre ne travaille pas. »

Mandel par Clemenceau

Phrases courtes

Georges Mandel fut le principal collaborateur de Georges Clemenceau à la présidence du Conseil. Bien que très érudit, il éprouvait les pires difficultés à rédiger les discours de son patron. Si bien qu'un jour, Clemenceau le convoqua et lui dit :

« Écrire, ce n'est pas sorcier : des phrases courtes avec un sujet, un verbe, un attribut. »

Après un petit silence, il enchaîna avec humour :

« Et lorsque vous voudrez ajouter un adjectif, vous viendrez me trouver ! »

Fallières et Clemenceau

Au bout de l'ennui...

Le chef de l'État Armand Fallières (président de la République de 1906 à 1913), accompagné de son ministre de l'Intérieur Georges Clemenceau, effectue une visite dans le Midi de la France. Le périple conduit les deux hommes dans un village haut perché de Provence, situé sur les contreforts des Alpes. Le discours du maire, qui retrace dans le moindre détail l'histoire de la petite commune, est interminable :

« Et c'est à cause des invasions arabes que notre village a été construit sur un rocher. En bâtissant nos maisons aussi haut, nous avons voulu les protéger des Sarrasins... »

N'y tenant plus, Clemenceau interrompt le maire à cet instant :

« Et vous avez fort bien réussi ! Depuis notre arrivée ici, nous n'en avons pas rencontré un seul... »

Gladstone par Disraeli

Malheur et catastrophe

Au Royaume-Uni, William Gladstone (chef des Whigs, les libéraux) et Benjamin Disraeli (leader du parti conservateur, les Tories) se disputèrent dans une lutte acharnée, toute leur vie politique durant, le poste de Premier ministre. Et c'est peu dire que les deux hommes se haïssaient. La reine Victoria demanda un jour à Disraeli la différence qu'il faisait entre un malheur et une catastrophe. Réponse nette du Premier ministre :

« C'est très simple Madame, je vais vous expliquer : supposez que Gladstone tombe dans la Tamise, c'est un malheur. Mais si quelqu'un le repêche, là, c'est une catastrophe ! »

Gladstone et Disraeli

Principes ou maîtresse

Vous l'aurez compris, entre Gladstone et Disraeli, les discussions étaient rarement tièdes. Les deux hommes, en bons Britanniques, pratiquaient l'assaut verbal. Pour preuve, dégustez cet échange :

GLADSTONE. « Vous, vous finirez pendu ou miné par une maladie vénérienne !

DISRAELI. – Cela dépend, cher ami, qui j'aurai épousé : vos principes ou votre maîtresse... »

Johnson

Excentricité anglaise

Cheveux ébouriffés blond paille, épaules massives, silhouette pataude, costume improbable, le maire de Londres Boris Johnson « est le seul homme politique reconnaissable de dos », pour reprendre la formule des politologues britanniques. Expansif et excentrique, le trublion conservateur collectionne les blagues et les provocations. On lui doit, par exemple, cette promesse électorale d'une rare poésie :

« Votez Conservateur et votre femme aura de gros seins ! »

Et l'argument a porté ! Les Londoniens, qui sont anticonformistes et aiment rire, ont élu Johnson à la mairie en 2008. « Faire le clown est une stratégie que mon frère a apprise de Churchill », explique Rachel, la sœur de Boris. Alors que certains lui voient un destin national, l'édile, comme Sir Winston, manie l'autodérision :

« J'ai autant de chance de devenir Premier ministre que de me réincarner en olive ou d'être décapité par un Frisbee ! »

Étonnant personnage...

La fidélité par Blair

La gaffe de Cherie

Pour nos voisins anglais, l'humour est une arme politique. Malheur à celui qui en est dépourvu ! L'ancien Premier ministre Tony Blair était passé maître dans l'art de l'autodérision, ce qui lui permettait de se sortir des situations les plus délicates. Lors de son congrès d'adieu aux travaillistes, alors qu'il s'apprêtait à passer le flambeau à son frère ennemi Gordon Brown, sa femme Cherie fut surprise en train de traiter de « menteur » celui qui prenait la place de son mari. La gaffe de Cherie réduisait à néant les efforts du Labour pour assurer une paisible transition. Plutôt que d'ignorer l'incident, Tony Blair décida de s'en sortir par l'humour. À la tribune, confiant combien il lui était difficile de quitter le 10 Downing Street (qui jouxte le numéro 11 de la même rue, résidence du Chancelier Gordon Brown), il désamorça la bévue de son épouse par ces mots :

« Au moins, je n'ai pas à m'inquiéter de voir ma femme partir avec le voisin d'à côté ! »

La politique par Blair

Leçon de socialisme

En mars 1998, sur l'invitation du président de l'Assemblée nationale d'alors, Laurent Fabius, le jeune Tony Blair avait déjà fait la démonstration de son talent d'orateur et de son humour, dans la langue de Molière, s'il vous plaît… :

« Il y a vingt-deux ans à Paris, j'ai été commis de bar. Je le suis resté dix semaines. Maintenant, je suis Premier ministre de la Grande-Bretagne, depuis dix mois. J'ai fait des progrès, je crois. Quand j'ai travaillé dans ce bar, Jacques Chirac était Premier ministre. Lui aussi a fait des progrès. Mais un peu moins vite que moi ! Dans ce bar, il y avait un pot commun. On m'a dit qu'il fallait impérativement y mettre tous les pourboires pour les partager. Au bout de deux mois, j'ai découvert que j'étais le seul à le faire. C'était ma première leçon de socialisme appliqué ! »

Éclats de rire sur les bancs de la droite et rictus pincés sur ceux de la gauche...

Dac

L'homme du MOU

En 1965, bien avant Coluche et quelques autres, Pierre Dac se déclara candidat à la première élection présidentielle de la Ve République. Il se présenta au suffrage des Français sous la cocasse étiquette du MOU, acronyme de Mouvement ondulatoire unifié, doté d'un slogan à l'impact publicitaire peut-être inégalé jusqu'à ce jour : « Les temps sont durs, vive le MOU ! » Quelques tirades délicieuses ont ponctué cette brève aventure politique. Parmi un choix considérable, j'ai retenu celles-ci :

« Le Parlement comprend l'Assemblée nationale et le Sénat qui, de leur côté, font de leur mieux pour comprendre ce qu'on leur dit. »

« Les discours les moins longs sont les plus courts. »

« Géométrie politique : le carré de l'hypoténuse parlementaire est égal à la somme de l'imbécilité construite sur ses deux côtés extrêmes. »

« Si tous ceux qui croient avoir raison n'avaient pas tort, la vérité ne serait pas loin. »

« Quand on ne travaillera plus le lendemain des jours de repos, la fatigue sera vaincue. »

Du Dac pur jus !

Dac

L'homme de l'os à moelle

Le créateur de *L'Os à moelle*, hebdomadaire résolument « contre tout ce qui est pour et pour tout ce qui est contre », continue d'inspirer les observateurs et caricaturistes de la vie politique, qui citent régulièrement quelques-unes des pensées de Pierre Dac. Voici quatre sources d'inspiration qui ont traversé les décennies :

« Le travail, c'est la santé. Mais à quoi sert alors la médecine du travail ? »

« Il est plus facile de trouver un portefeuille sans ministre qu'un ministre sans portefeuille. »

« Pour les riches, des couilles en or, pour les pauvres, des nouilles encore. »

« Le proverbe qui dit "C'est en forgeant qu'on devient forgeron" est un proverbe de vérité, car il est plutôt rare, en effet, qu'en forgeant un forgeron devienne petit télégraphiste ou mannequin de haute-couture. »

« Ceux qui ne savent rien en savent toujours autant que ceux qui n'en savent pas plus qu'eux… »

Hollande et Ayrault
par un proche d'Aubry

1 + 1 = 1

Fin avril 2012, à quelques jours du second tour de l'élection présidentielle opposant François Hollande à Nicolas Sarkozy, les pronostics vont bon train dans le camp socialiste pour savoir qui sera Premier ministre en cas de victoire. Jean-Marc Ayrault, fidèle des fidèles du candidat, alors président du groupe PS à l'Assemblée nationale, tient déjà la corde pour Matignon. Mais les partisans de Martine Aubry contestent ce choix, considérant que les caractères d'Ayrault et de Hollande sont trop similaires et ne s'additionnent pas. D'où cette amusante formule assenée par un proche d'Aubry :

« Le duo Hollande-Ayrault, c'est $1 + 1 = 1$. »

Sarkozy par Estrosi

Sois gentil, arrête de m'aider !

Il arrive que vos amis, soucieux de vous venir en aide, le fassent si maladroitement que cela finisse par vous nuire. C'est précisément ce qui s'est produit avec Christian Estrosi. Accompagnant Nicolas Sarkozy en Guyane, dans une séquence où le chef de l'État se trouvait au plus bas dans les sondages, il déclara fièrement aux reporters qui couvraient la visite présidentielle :

« Vous avez vu comme Monsieur Sarkozy est populaire en forêt amazonienne ? »

Les journalistes présents ce jour-là en rient encore...

Trierweiler par un dirigeant du PS

Potiche et pots cassés

Valérie Trierweiler avait annoncé ses intentions quant à son rôle de première dame dans la foulée de la victoire de son compagnon François Hollande :

« Je ne serai pas une potiche ! »

Une déclaration qui inspira un dirigeant du PS lors du célèbre épisode du « tweet de la jalousie », ce message de soutien de Valérie Trierweiler au candidat socialiste dissident Olivier Falorni (vainqueur de Ségolène Royal lors des élections législatives de juin 2012 à La Rochelle) :

« Certes, elle n'est pas une potiche, mais il ne faudrait pas non plus que Hollande paie les pots cassés... »

Quelques semaines plus tard, la compagne du Président jura, mais un peu tard, qu'on ne l'y prendrait plus :

« Je tournerai sept fois mon pouce, maintenant, avant de tweeter ! »

Strauss-Kahn et Trierweiler

Dis-moi qui est la plus belle...

Dans les années 1990, Valérie Trierweiler est une jeune et séduisante journaliste politique. Un jour, dans la salle des Quatre-Colonnes de l'Assemblée nationale, Dominique Strauss-Kahn (alors député du Val-d'Oise) se dirige vers un petit groupe de chroniqueurs au sein duquel elle se trouve : « Comment se porte la plus jolie journaliste de Paris ? » demande DSK...

Réponse du tac au tac de la journaliste : « Je croyais que c'était Anne Sinclair ! »

Sarkozy et Hollande par Dupont-Aignan

Vélo d'appartement !

Jeudi 26 janvier 2012. François Hollande, alors candidat PS à l'élection présidentielle, rend publiques les soixante propositions de son programme. Quelques jours plus tôt, le président Sarkozy avait annoncé des réformes pour tenter d'endiguer la montée du chômage. Sur Europe 1, Bruce Toussaint demande à Nicolas Dupont-Aignan, lui aussi en course pour l'Élysée, ce qu'il pense de l'efficacité des mesures Hollande et Sarkozy. Réponse amusée et imagée du candidat gaulliste :

« C'est simple, c'est le concours du plus beau vélo d'appartement ! On fait des efforts, on pédale, on pédale, mais comme les roues ne touchent pas par terre, ça n'avance pas... »

Faure (Edgar)

Veuvage

Un ministre un peu gêné mais prenant son courage à deux mains, adresse cette remarque à Edgar Faure, dont le veuvage est encore récent :

« Monsieur le Président, on vous voit ces temps-ci avec des femmes moins jeunes...

– Mon cher ami, n'oubliez pas que je suis encore un peu en deuil... » répond Faure avec son humour légendaire.

À noter que, selon les sources, il existe une autre version de cet épisode. Le ministre en question aurait croisé Edgar Faure au bras d'une jeune femme qu'il trouvait quelconque et l'échange aurait été celui-ci :

« Monsieur le Président, vous nous avez habitués à mieux...

– Mon cher ami, n'oubliez pas que je suis en deuil... »

Faure (Edgar)

Association

Le célèbre avocat Paul Lombard reçoit un jour un coup de téléphone du président Edgar Faure (lui aussi avocat de formation) qui lui demande de venir le voir instamment à son domicile de la rue de Grenelle. S'ensuit alors le délicieux dialogue suivant :

FAURE. « J'ai décidé de m'associer avec vous...

LOMBARD. – Comment cela ?

FAURE. – Voilà comment nous allons nous partager le travail : vous plaiderez car je n'aime guère cela, vous préparerez les dossiers car je n'en ai pas le temps, vous recevrez les clients car cela m'exaspère...

LOMBARD. – Et que ferez-vous Monsieur le Président ?

FAURE. – Je ferai chauffer la colle ! »

Faure (Edgar)

L'immobilisme est en marche !

Edgar Faure possédait comme on le voit un formidable talent dans l'art de la réplique. Ses aphorismes savoureux restent aussi une référence en matière de bons mots politiques. En voici deux demeurés célèbres :

« L'immobilisme est en marche, et rien ne pourra l'arrêter. »

« Les prévisions constituent un art difficile, surtout quand elles portent sur l'avenir. »

Faure (Félix)

Une belle mort !

Félix Faure fut Président de la République de 1895 à son décès en 1899, à l'âge de cinquante-huit ans. Les mauvaises langues disent qu'il reste davantage célèbre par sa mort que par sa vie ! Il mourut en effet dans le Salon bleu de l'Élysée, allongé sur un divan, dans les bras de sa maîtresse Marguerite Stendheil, en partie dénudée. Les circonstances du décès du président en exercice prirent rapidement le pas sur la tragédie de sa mort subite. On rapporta ainsi que l'abbé venu administrer à Faure les derniers sacrements, demanda à son arrivée :

« Le Président a-t-il toujours sa connaissance ? »

Il se serait entendu répondre :

« Non, elle est sortie par l'escalier de service ! »

Les obsèques de Félix Faure furent l'occasion d'un ultime épisode comique. Dans le cortège funèbre qui traversa lentement Paris, tous les corps constitués étaient représentés. Lorsque passèrent les dignitaires de la Sorbonne, revêtus de leur toge jaune, une voix sur le trottoir vint troubler le silence recueilli :

« Tiens, voilà les cocus ! »

À quoi le recteur Gérard répondit avec humour et modestie :

« Non, ce n'est qu'une délégation ! »

Peyrefitte

Le bal de l'école

Le gaulliste Alain Peyrefitte était d'un naturel plutôt réservé. Un jour pourtant, invité de l'émission « L'Oreille » dans les studios de Radio-France, il évoqua ses années d'élève brillant mais chahuteur à l'École normale. Il entreprit alors de revenir sur les paroles d'une chanson intitulée *Le Bal de l'école*, composée par l'un de ses anciens camarades de promotion, et qui montre (pour qui sait lire entre les lignes) qu'il s'en passait de belles le soir du bal de l'École normale. Morceaux choisis :

> « Venez donc samedi soir au Bal
> faire admirer votre trousseau.
> J'vous f'rai voir la turne où j'habite
> et j'vous ferai voir aussi ma piaule.
> Ça sera très drôle.
> Elles répondent d'un air aisé,
> emmenez-moi, vous serez convaincu
> que je possède un joli don
> d'conversation.
> Et ce que j'préfère, je le confesse,
> c'est qu'on m'passe la main dans les cheveux,
> en faisant des yeux
> très langoureux.
> C'est comme ça, j'vous donne ma parole,
> qu'on peut attraper bien du mal,
> le soir du bal
> d'l'école Normale. »

Kissinger

Les chevilles qui enflent

« La fausse modestie, c'est mieux que pas de modestie du tout » écrivait Jules Renard. Un adage que ne devait pas faire sien Henry Kissinger, du temps où celui-ci était le bras droit tout puissant du président Richard Nixon. En témoigne cet échange surprenant avec une jeune Américaine admirative :

« Merci, merci Monsieur Kissinger, de sauver chaque jour la paix dans le monde...

– Oh vous savez, je n'ai rien fait d'autre que ce que n'importe quel génie aurait fait à ma place ! »

Le FN par Grand

Rebouteux

« Les mots justes trouvés au bon moment sont de l'action » écrit Hannah Arendt. Jean-Pierre Grand, le député villepiniste de L'Hérault, le sait. Il est d'ailleurs connu pour son franc-parler, comme en témoigne la rubrique « Coups de gueule » de son blog personnel. Au plus fort de la progression du Front national dans les sondages, il lance ainsi cette métaphore qui fait mouche :

« Le Front national est à la politique ce que le rebouteux est à la médecine. »

Le PS par Bertrand

Habillés pour l'hiver

L'UMP Xavier Bertrand sait aussi avoir la parole féroce et, en période de campagne électorale, il affûte son arme. Le PS en fait régulièrement les frais. Petite sélection… :

« Ce ne doit pas être facile pour Benoît Hamon d'être le porte-parole d'un parti qui n'a rien à dire ! »

« Le Parti socialiste est un parti sans leader. Bayrou est un leader sans parti. Ils sont faits pour fusionner. »

« Le PS court après Besancenot. Moi, je n'ai jamais vu qu'on rattrapait un facteur à vélo ! »

…et les Écolos par Baylet

Tendance Gloria Lasso

« Les bons mots sont comme le drapeau tricolore ou Marianne, ils font partie de notre tradition » aime à dire le socialiste Guillaume Bachelay, expert en la matière. Son collègue Jean-Michel Baylet, président des Radicaux de gauche, s'inscrit dans cette tradition lorsqu'il épingle les Verts avec humour :

« Les écologistes sont à la politique ce que Gloria Lasso est au rock'n' roll ! »

Debré, Chirac, Laporte, Raffarin, Kouchner, Lang et Villepin

Monsieur Jourdain

Certains politiques font, tel Monsieur Jourdain, de l'humour sans le savoir. Autant de petites maladresses qui font notre bonheur :

« Les Français doivent faire des enfants sur une grande échelle. » (Michel Debré)

« Il n'y a que les imbéciles qui ne changent pas d'avis, c'est ce que j'ai toujours dit. » (Jacques Chirac)

« Je voulais voir les Antilles de vive voix. » (Bernard Laporte)

« Les veuves vivent plus longtemps que leur conjoint. » (Jean-Pierre Raffarin)

« La contraception doit avoir ses règles. » (Bernard Kouchner)

« Je ne voulais pas être parachuté d'en haut. » (Jack Lang)

« Le pétrole est une ressource inépuisable qui va se faire de plus en plus rare. » (Dominique de Villepin)

Bush et Royal

Monsieur Jourdain (suite)

Dans la catégorie des politiques « drôles malgré eux », les deux lauréats sont sans conteste Ségolène Royal et George W. Bush :

« Pour une fusillade qui est mortelle, il y en a environ trois sans mort d'homme. Et mes amis, cela est inacceptable en Amérique. C'est totalement inacceptable. Et nous devons agir. » (George W. Bush)

« Une capacité de réaction, voilà ce qui a manqué à Airbus ! » (Ségolène Royal)

« Si nous ne réussissons pas, nous courons le risque d'échouer. » (George W. Bush)

« Je m'adresse à vous, cette génération qui n'est pas encore née… » (Ségolène Royal)

« La vaste majorité de nos importations vient de l'extérieur du pays. » (George W. Bush)

« Ce n'est pas plus mal que ce soit une femme qui soit élue, pour faire le ménage. » (Ségolène Royal, en 2011, à la veille des primaires socialistes.)

« Il y a trop de bons médecins qui arrêtent de travailler. Il y a trop de gynécologues qui ne sont pas en mesure d'exercer leur amour avec les femmes à travers le pays. » (George W. Bush)

Bush

Mieux que prévu

George W. Bush restera dans les annales de la politique pour ses lapsus, ses confusions et ses bourdes autant (sinon plus) que pour son bilan. On se souvient de ce fameux gala du 6 mars 2002, retransmis par la chaîne ABC, où le Président fit de grands signes de la main en direction de Steevie Wonder lorsque le chanteur, aveugle, arriva sur scène ! Mais, comme on l'a vu précédemment, Bush savait surtout se montrer emprunté dans ses déclarations, à l'instar de cette merveille de maladresse :

« Les gens s'attendent à ce que nous échouions… Notre mission est de dépasser leur attente ! »

Barry

L'*outsider*

Aux États-Unis, si George W. Bush est le leader incontesté des bourdes, il n'en a pas pour autant le monopole. L'ancien maire de Washington Marion Barry est un vrai *outsider* qui lui a parfois disputé la vedette :

« En dehors des meurtres, notre ville a un des plus bas taux de criminalité du pays ! »

Nous voilà tout de suite plus rassurés…

Clemenceau

Le lapin de Geoffroy

Le 2 juin 1900, l'historien et critique d'art Gustave Geoffroy annule au dernier moment un déjeuner prévu avec Georges Clemenceau. Le motif est peu crédible : le mariage soudain de son cousin. Épistolier hors pair, le « Tigre » prend sa plume et répond avec l'humour et la fantaisie qu'on lui connaît :

« Cher ami, vous êtes un lâcheur ! Un mot de vous ce matin m'apprend qu'un mariage d'un cousin s'est décidé depuis hier. Lâcheur !

Lâcheur ! Je serai peut-être en état de reprendre le projet manqué aux environs du vendredi ou du samedi. En ce cas je vous écrirai. Mais votre cousin qui se marie si rapidement est capable d'avoir non moins rapidement une progéniture. Alors vous serez de baptême ! À bientôt tout de même. Cordialement. G. Clemenceau. »

Clemenceau

Moissons municipales

Les missives de Clemenceau à ses amis et compagnons de lutte sont souvent des trésors d'ironie et de drôlerie. Journaliste, adepte du texte court, il fut un virtuose de la langue française. Délectez-vous de l'extrait de cette lettre, adressée en 1924 à Nicolas Pietri (meilleur ami et éminence grise de Clemenceau), depuis son lieu de vacances :

« Cher ami [...],

Imaginez un fougueux conseiller municipal dans un champ de blé, tout à plat avec la fille du maire, et les cris d'autres conseillers municipaux montés sur les arbres pour savoir quelle sorte de moisson il s'agissait de faire. Voilà le dernier événement dans un village voisin. Avec des histoires semblables, on n'arrivera jamais à faire des familles nombreuses. On devrait poursuivre les habitants des arbres avec la plus grande rigueur [...]. Bonnes amitiés.

G. Clemenceau. »

Clemenceau

Prostate et présidence

En dépit de son extrême popularité, Georges Clemenceau n'est pas choisi par les parlementaires, en 1920, pour la présidence de la République. Un camouflet qui le rend amer, mais ne lui ôte pas son sens de l'humour :

« La vie m'a appris qu'il y a deux choses dont on peut très bien se passer : la présidence de la République et la prostate ! »

Churchill

La politique, c'est un métier

Le troisième talent de Winston Churchill, après son sens politique et son immense culture, était de savoir exprimer une idée en quelques mots. On retiendra notamment du Premier ministre britannique ces deux sentences sur le métier d'homme politique :

« Un bon politicien est celui qui est capable de prédire l'avenir et qui, par la suite, est également capable d'expliquer pourquoi les choses ne se sont pas passées comme il l'avait prédit. »

« Après la guerre, deux choix s'offraient à moi : finir ma vie comme député, ou la finir comme alcoolique. Je remercie Dieu d'avoir si bien guidé mon choix : je ne suis plus député. »

Churchill

Les pigeons

Sir Winston possédait un humour tout britannique dont il savait user avec un art consommé. Alors qu'il assiste un jour à l'inauguration de sa propre statue, l'un de ses amis lui demande l'impression que lui inspire cette situation si particulière. Réponse détachée de Churchill :

« Je ne peux vous dire qu'une chose : quand on a sa propre statue, on commence à regarder les pigeons d'un tout autre œil... »

Churchill

Tout sur l'armée

On n'en a jamais fini avec les formules de Winston Churchill. Pour le plaisir, et un peu pour l'histoire, voici trois saillies du « chef de guerre » où les militaires allemands, italiens et français en prennent pour leur grade :

« Je ne déteste personne et je ne crois pas avoir d'ennemis à l'exception des Boches. Et encore, c'est professionnel ! » (27 janvier 1941)

« Je n'ai jamais entendu parler d'un grand athlète qui soit aussi un grand général. Il y a peut-être une exception dans l'armée italienne, où un général peut avoir besoin d'être un bon coureur. » (15 février 1941)

« Le Tout-Puissant, dans son infinie sagesse, n'a pas cru bon de créer les Français à l'image des Anglais. » (10 décembre 1942)

L'armée par de Gaulle

Intelligence militaire...

Restons un instant dans les uniformes... « L'intelligence militaire est une contradiction dans les termes », raillait Groucho Marx. Une idée reprise par le général de Gaulle dans un style plus subtil, mais tout aussi efficace :

« Il est vrai que parfois, les militaires, s'exagérant l'impuissance relative de l'intelligence, négligent de s'en servir... »

Le sexe par Bush, Dufoix,
Fabius, Roudy et Lang

Carnet rose

Les politiques sont en général assez pudiques et rares sont ceux qui se laissent aller à des plaisanteries légères. Mais on peut être léger par maladresse et ce n'en est alors que plus drôle :

« L'un dans l'autre, ce fut une année fabuleuse pour Laura (Bush) et moi. » (George W. Bush)

« Avec le Premier ministre, nous avons des rapports tous les matins. » (Georgina Dufoix à propos de Laurent Fabius)

« Le sexe, c'est ce qu'il y a de plus profond chez l'homme et la femme. » (Laurent Fabius)

« Je suis pour l'égalité des sexes, et en tant que ministre, je prendrai moi-même les mesures qui s'imposent. » (Yvette Roudy)

« Je souhaite que les Français descendent dans la rue, avec leur instrument à la main. » (Jack Lang, le soir de la Fête de la musique.)

Bachelot, Royal, Deviers-Joncour...

Carnet rose (suite)

Pudiques ou non, en politique, ce sont finalement les femmes qui savent avoir, plus que leurs homologues masculins, le goût de la sensualité :

« Le bobsleigh, c'est comme l'amour : on hésite au début, on trouve cela très bien pendant et on regrette que cela soit déjà terminé après. » (Roselyne Bachelot)

« Il m'a fait l'impression de l'amant qui craint la panne. » (Ségolène Royal à propos de François Bayrou lorsque ce dernier a refusé qu'elle monte le voir à son domicile parisien entre les deux tours de l'élection présidentielle de 2007.)

« Pour ce que j'avais à faire, je n'avais pas besoin de diplôme. » (Christine Deviers-Joncour)

Douillet, Mitterrand, Marchais, Raffarin et Toubon

Cancritude

Les bancs de l'école, comme ceux du Sénat et de l'Assemblée nationale, sont de temps à autre le lieu d'amusantes confusions.

« En ce temps-là, Paris s'appelait Lucette ! » (contrepet au poil)

« Jules Ferry a rendu les maîtresses gratuites et obligatoires. »

« Napoléon était capable de dicter plusieurs lettres à la fois, c'était un dictateur… »

Les élèves de CM1 et CM2 ne sont toutefois pas les seuls à se montrer brouillons, les politiques, qui sont après tout d'anciens enfants, aussi ! Illustrations :

« On peut surtout avoir des acquis que l'on peut mettre dans tous les domaines possibles et inimaginaux. » (David Douillet)

« Le bicentenaire, ça ne se fête pas tous les ans, ça se fête tous les cent ans ! » (François Mitterrand)

« Comme on me cite mal, je vais me prendre à l'envers. » (Georges Marchais)

« Je suis là pour avancer pour la France avec un certain recul. » (Jean-Pierre Raffarin)

« Il faut contraindre les hommes à être libres ! » (Jacques Toubon)

Dati, Balkany, Tapie, Joly

Méthode Coué

Il paraît que les politiques vivent dans leur bulle et sont déconnectés de la réalité... Une chose est sûre, méthode Coué oblige, ils ont parfois une vision d'eux-mêmes et de leur action qui peut différer de celle de Monsieur Tout-le-monde... La preuve ?

« Je n'ai jamais cherché à attirer l'attention des médias... » (Rachida Dati)

« Je suis l'homme le plus honnête du monde ! » (Patrick Balkany)

« J'ai menti, mais c'était de bonne foi ! » (Bernard Tapie)

« Je pense que j'ai fait une belle campagne présidentielle. » (Eva Joly)

Berlusconi, Brejnev

Méthode Coué (suite)

Émile Coué n'avait sans doute pas imaginé que sa méthode serait utilisée par des hommes politiques du monde entier. Par-delà les générations, les dirigeants usent sans compter de l'autosuggestion et, parfois, il y a vraiment de quoi se pincer. Voici deux fervents adeptes :

« Dans la vie privée, un homme politique doit rester lui-même et être respectueux des lois, y compris celles de la moralité. C'est ce que j'ai fait ! » (Silvio Berlusconi)

« J'ai fait mieux que quiconque dans tous les domaines où je suis intervenu ! » (Silvio Berlusconi)

« Chez nous en URSS, il n'y a pas de parti d'opposition, parce que nous pensons qu'une opposition pourrait troubler les rapports affectueux qui unissent le gouvernement au peuple. » (Leonid Brejnev)

Jospin, Guéant, Nallet, Cambadélis et Villepin

Stock, arrosage et panique

« Il n'y a pas besoin d'être de droite ou de gauche pour dire des conneries » constate, lucide, le député UMP Lionnel Luca. Les petites perles et les manques d'inspiration ne sont pas, il est vrai, le monopole d'un camp ou d'un autre. Démonstration :

« Je suis le fils d'une sage-femme, j'irai au terme. » (Lionel Jospin)

« Je veux bien qu'on fasse un remaniement, mais on manque de stock. » (Claude Guéant)

« Le plan sécheresse n'est pas un arrosage. » (Henri Nallet)

« Nous ne devons pas céder à la panique, mais la situation est catastrophique... » (Jean-Christophe Cambadélis)

« Le Villepin nouveau sera gouleyant, fort en bouche et il aura de la cuisse. » (Dominique de Villepin)

Jobert, Pezet, Tapie et Chirac

Le meilleur des 90′

Les années 1990 resteront un bon cru pour l'humour politique. Certaines répliques ou petites phrases, injustement tombées dans l'oubli, méritent d'être remises en lumière. Celles-ci, par exemple :

En 1991, à la question : « Que reste-t-il de la politique arabe de la France ? » Michel Jobert rétorque : « Barbès-Rochechouart ! »

En 1992, le député socialiste des Bouches-du-Rhône Michel Pezet explique qu'il soutient Bernard Tapie « les yeux fermés, les oreilles bouchées et, si ça continue, le nez pincé ».

En 1994, le même Bernard Tapie lance : « Fabius ne fait jamais rien gratuitement, même quand il vous serre la main. »

Et comment ne pas rappeler cette jolie promesse électorale de Jacques Chirac, maire de Paris : « En 1994, on pourra se baigner dans la Seine à Paris, et je serai le premier à le faire ! »

Royal, Bruni-Sarkozy,
Le Pen, Auclair

Drôles de comparaisons

Pour marquer les esprits, rien de tel que de se laisser aller au petit jeu des comparaisons. Efficacité garantie… :

« Doc Gynéco n'est pas Malraux. Nicolas Sarkozy n'est pas de Gaulle. » (Ségolène Royal)

« À côté de Mme Pompidou, je suis Lady Gaga ! » (Carla Bruni-Sarkozy)

« Réservez vos questions de politicaillerie aux politologues qui viennent sur votre plateau et qui sont politologues comme moi je suis danseuse au Crazy Horse… » (Marine Le Pen)

« Hollande apparaît consensuel. Il fait du Chirac sans en avoir l'air. Il est ce que le Canada Dry est au whisky. » (Jean Auclair)

Chirac face à Mitterrand

Si vous voulez…

Beaucoup d'entre nous ont gardé en mémoire ce fameux échange entre François Mitterrand (Président sortant) et Jacques Chirac (Premier ministre) lors du débat télévisé de l'entre-deux tours de la présidentielle de 1988 :

CHIRAC. « Ce soir, je ne suis pas le Premier ministre, et vous n'êtes pas le Président de la République, nous sommes deux candidats à égalité, vous me permettrez donc de vous appeler Monsieur Mitterrand.

MITTERRAND. – Mais vous avez tout à fait raison, Monsieur le Premier ministre ! »

Une réplique reproduite par François Mitterrand dans un autre échange, moins connu mais tout aussi drôle, avec un militant socialiste :

LE MILITANT. « Si on se tutoyait ?

MITTERRAND. – Si vous voulez... »

De Gaulle

En pyjama

Les face-à-face télévisés lors de l'élection présidentielle sont des duels d'un genre particulier qui ne plaisent pas à tous. Pendant la campagne de 1965, le général de Gaulle ne daigne même pas utiliser le temps de parole officiel qui lui est réservé. Entre les deux tours, après avoir été mis en ballottage, il condescend à dialoguer avec le journaliste Michel Droit, non sans avoir lancé à son équipe cette réplique culte :

« Vous voulez que j'aille à la télévision en pyjama ! »

Le Général avait en effet compris que l'exercice obligeait à se livrer, se dévoiler, se déshabiller...

De Gaulle

Tablettes de chocolat

Le président de la République Charles de Gaulle visite le site où doit s'étendre la ville nouvelle de Marne-la-Vallée. Le maire de Noisiel, qui est du déplacement, profite de l'occasion pour l'interpeller :

« Mon Général, il me faudrait une aide de l'État, la chocolaterie Meunier vient de fermer ses portes et j'ai huit cents personnes à recaser...

– Ah bon, répond de Gaulle, je note ça sur mes tablettes ! »

De Gaulle

Nuance

Le général de Gaulle était non seulement un grand homme, mais il était aussi un homme grand, qui mesurait 1,94 m. Il n'appréciait guère qu'on osât se comparer à lui. Un jour, quelqu'un qui le dépassait de quelques centimètres lui fit remarquer :

« Mon Général, je suis plus grand que vous. ».

Ce à quoi de Gaulle rétorqua :

« Plus grand vous avez dit ? Vous êtes simplement plus long ! Ne confondez pas… »

Le général goûtait du reste fort peu la mégalomanie des autres. On lui prête ainsi cette boutade, faite lors d'un Conseil des ministres en 1960, à propos de l'homme de télévision Léon Zitrone :

« Messieurs, savez-vous ce qui m'est arrivé ce matin ? Je viens de croiser Léon Zitrone, je crois qu'il m'a reconnu… »

Daudet

Rebaptisés

Le féroce Léon Daudet (1867-1942), l'une des principales figures de *L'Action française*, avait souvent recours aux jeux d'esprit et aux détournements pour ridiculiser ses adversaires. Ainsi les communistes Marcel Cachin et Paul Vaillant-Couturier s'étaient vus respectivement rebaptisés par lui :

« Carcel Machun » et « Paul Couillon-Voiturier ».

Fouchet

Fâché avec la géométrie

Christian Fouchet, ministre de l'Éducation nationale de 1962 à 1967 (on lui doit notamment l'instauration de la carte scolaire), n'était pas spécialement à l'aise avec la géométrie. C'est du moins ce que l'on est en droit de penser au regard de sa célèbre formule :

« L'instruction sera portée aux quatre coins de l'Hexagone ! »

Debré par Santini

Malchanceux

En janvier 2007, Jean-Louis Debré, qui préside aux destinées du Palais-Bourbon, décide de fermer le bureau de tabac de l'Assemblée nationale. Une petite révolution, si l'on considère que ce tabac avait ouvert ses portes en 1873 ! Hasard de calendrier, Jean-Louis Debré annonce au même moment la rénovation du salon de coiffure de l'Assemblée. Une coïncidence qui inspire le facétieux André Santini :

« Je n'ai pas de chance. Debré ferme le bureau de tabac de l'Assemblée et modernise le salon de coiffure. Moi, je fume et je suis chauve... »

Santini

Le député le plus drôle

Trois de ses plus jolies perles... :

« Vous êtes intelligents, la preuve vous êtes dans les affaires, nous on ne sait rien, la preuve, on est dans la politique. » (Devant un parterre de chefs d'entreprise.)

« Monseigneur Decourtray n'a rien compris au préservatif, il le met à l'index. »

« La différence entre un cocu et un député, c'est que le premier n'est pas obligé d'assister à la séance. »

Santini

Hérisson

Santini toujours (on ne se lasse pas des bonnes choses !). Dans son dictionnaire-abécédaire des noms communs et des noms propres, intitulé *Le Santini*, l'emblématique maire d'Issy-les-Moulineaux donne ses définitions du mot « hérisson » :

« 1 : Petit nom que donnait Mme Gorbatchev à son mari.

2 : Leurs ébats ne manquant pas de piquants.

3 : À la question : "Comment font les hérissons pour se reproduire ?", Coluche répondait : "Très doucement..." »

Santini et Dumas

Orbite

André Santini et Roland Dumas sont attablés au restaurant « La Crémaillère », où se réunissent traditionnellement les membres de l'Académie Alphonse-Allais. Quelque temps auparavant, Roland Dumas est passé en jugement dans l'affaire Elf. Entre les deux hommes s'ouvre alors ce savoureux dialogue :

DUMAS. « Savez-vous que j'ai failli avoir le prix de l'humour politique ?

SANTINI. – Non…

DUMAS. – À la fin du procès, le président du tribunal me demande où j'en suis dans mes rapports avec Christine Deviers-Joncour, et je lui réponds : "Elle est sortie de mon orbite !" »

Santini et Bayrou

Les oreilles et le reste

Voici un épisode peu connu, mais particulièrement cocasse de la vie politique française. Un jour, la rumeur prête à André Santini la petite phrase suivante :

« Chez Bayrou, en termes de sondages, il n'y a que les oreilles qui décollent ! »

Mais Santini n'est pas l'auteur de ce mot et, sachant Bayrou très sensible sur ce détail anatomique, il lui téléphone aussitôt pour l'assurer qu'il ne se serait jamais permis de l'attaquer sur son physique. Réaction inattendue du leader du MoDem : « Mais André, ne t'inquiète pas, de toute façon, chez moi, tout est proportionné ! »

Cohn-Bendit

Sans fioritures...

Bougon de la République, Daniel Cohn-Bendit est lui aussi un « poids lourd » haut en couleur du bon mot acide. Petit aperçu :

« La droite et la gauche françaises parlent du haschich comme le pape parle de cul ! »

Les fonctionnaires selon de Charrette...

Secouez-les, secouez-les !

Le centriste Hervé de Charette, ancien ministre de la Fonction publique, affichait une opinion surprenante sur les fonctionnaires dont il avait la responsabilité :

« Il faut secouer l'administration comme la publicité le fait avec la petite bouteille et développe la stratégie Orangina. »

Dans l'administration, on sait pourtant décoller la pulpe et être en verve. En témoignent ces perles authentiques extraites de rapports de police, lettres de Sécu et autres comptes rendus administratifs :

« L'homme nous a traités d'imbéciles, d'ordures et de pourritures, sans que nous puissions le démentir. »

« Pour le repas de Noël de la municipalité, nos anciens se sont retrouvés dans une joyeuse ambiance autour de Monsieur le Maire et de sa dinde. »

« Comme il devait être pris en charge au plus vite par un asile psychiatrique, l'homme fut conduit à la gendarmerie. »

« Quand l'accusé prétendit que, dans cette affaire, l'État s'était conduit en véritable escroc, le président du tribunal rétorqua que la réciproque était vraie aussi. »

« Pour le traitement informatique des formulaires, votre sexe ne doit pas sortir de la colonne. »

On en redemande !

*...et les fonctionnaires
selon Clemenceau*

Mari modèle

Les fonctionnaires ont toujours beaucoup inspiré les politiques. En témoigne cette jolie petite pique signée Georges Clemenceau :

« Les fonctionnaires sont les meilleurs maris : quand ils rentrent le soir à la maison, ils ne sont pas fatigués et ont déjà lu le journal. »

Bayrou et Hollande

Australien entre deux chaises

Une campagne électorale, ce ne sont pas seulement des programmes et des meetings, mais également des embardées et des traits d'esprit. L'élection présidentielle de 2012 n'a pas dérogé à la règle et a connu son lot de répliques « sarcastriques », à l'image de cet échange par presse interposée :

FRANÇOIS BAYROU. « L'idée qu'on pourrait continuer avec l'UMP ou que le PS pourrait avoir tous les pouvoirs, franchement, ça donne envie de se faire naturaliser Australien. »

FRANÇOIS HOLLANDE. «Un centriste assis entre deux chaises ira toujours moins loin qu'un socialiste qui marche.»

Sarkozy par Roméro

La dinde et le crocodile

On se souvient de la célèbre formule de Coluche :

« Quand je vois un type qui n'a pas de quoi bouffer entrer dans un bureau de vote, ça me fait penser à un crocodile qui se présenterait dans une maroquinerie. »

Le Conseiller régional apparenté PS Jean-Luc Roméro a repris et transposé la formule. Début 2012, alors que le bruit court que Nicolas Sarkozy s'apprête à envoyer des signaux en direction des homosexuels pour obtenir leurs suffrages, Roméro déclare :

« Un gay qui voterait pour Nicolas Sarkozy, ça me fait penser à une dinde qui voterait pour le repas de Noël ! »

Adaptation réussie !

Sarkozy par Cazeneuve

Dépôt de bilan

« Les gardiens de la paix, au lieu de nous la garder, ils feraient mieux de nous la foutre », s'amusait Coluche dans un sketch fameux. Éclat de rire garanti ! Une construction de phrase efficace que le député-maire PS de Cherbourg Bernard Cazeneuve reprend à son compte pour s'adresser à Nicolas Sarkozy, alors président de la République, et juger les résultats de son quinquennat :

« Le bilan, vous ne pouvez pas l'assumer, seulement le déposer ! »

Hollande par Hortefeux

Jouvence de l'abbé Soury

Le dimanche 22 janvier 2012, François Hollande lance la campagne présidentielle du Parti socialiste avec un premier grand meeting au Bourget. Un événement très largement commenté par ses opposants, au premier rang desquels Brice Hortefeux qui déclare sur Europe 1 :

« François Hollande est un candidat des années 1980. Remarquez, ça a un côté sympathique, ça nous rajeunit de trente ans. Hollande, c'est la Jouvence de l'abbé Soury. »

Buisson

Candidat siphonné !

Durant toute sa campagne présidentielle, François Hollande s'est présenté comme le « président normal ». Dans les interviews « presque imaginaires » du *Canard enchaîné*, le conseiller de Nicolas Sarkozy, Patrick Buisson est interrogé, sur le meilleur slogan selon lui pour son favori. Réponse :

« C'est mon plombier qui l'a trouvé : la France n'a pas besoin d'un président normal, mais d'un président siphonné ! »

Le Pen et Mélenchon

La bonne moitié

Jeudi 23 février 2012, la lutte pour l'Élysée bat son plein. Jean-Luc Mélenchon, candidat du Front de Gauche, affronte Marine Le Pen lors d'un débat organisé par France 2 dans l'émission « Des paroles et des actes ». Le duel est l'occasion d'une joute épique :

MARINE LE PEN. « Il y a quelques jours, vous m'avez traitée de semi-démente !

JEAN-LUC MÉLENCHON. – Ça vous laisse une bonne moitié… »

Le Pen et Sarkozy

La pute et la chaisière

Il est une petite phrase qui alimenta et alimentera sans doute longtemps la chronique politique. C'est celle de Jean-Marie Le Pen lancée à la suite du « discours pour le peuple » prononcé par Nicolas Sarkozy en mars 2012. Pour l'ancien président du Front national, Nicolas Sarkozy est davantage le candidat des riches que du peuple. Et il le fait savoir à sa manière :

« C'est un peu comme la pute qui devient chaisière à l'Église. Si elle garde son maquillage, elle ne trompe personne ! »

La même semaine, le socialiste Benoît Hamon avait lui aussi pointé le décalage du doigt, mais en termes plus choisis :

« Nicolas Sarkozy candidat du peuple, c'est aussi crédible que si Mme Parisot se posait en représentante des ouvriers ou M. Madoff en représentant des petits épargnants… »

Boutin par Bayrou

Christine la menace

En ce 14 février 2012, François Bayrou inaugure les « Matinales d'Europe 1 » consacrées à l'élection présidentielle d'avril. L'humoriste Anne Roumanoff, présente dans le studio à côté du leader centriste, assure sa chronique habituelle. Sa cible du jour : Christine Boutin, qui a annoncé la veille son ralliement à Nicolas Sarkozy :

« Christine Boutin, qui a tellement d'électeurs qu'elle peut les appeler par leur prénom, s'est ralliée hier à Nicolas Sarkozy. Étrange pour une femme qui disait encore il y a peu qu'elle était une menace pour Sarkozy vu qu'elle pouvait se rallier à vous, Monsieur Bayrou. Remarquez, si elle s'était ralliée à vous, je ne sais pas pour qui aurait été la plus grande menace : Sarkozy ou vous... »

Rires dans le studio et surprise lorsque François Bayrou reprend :

« Je pense comme Anne Roumanoff, je me demande si le ralliement de Christine Boutin à ma candidature n'aurait pas constitué une plus grande menace pour moi que pour Nicolas Sarkozy... »

Sarkozy par Le Pen

Le cancre

En avril 2012, à quelques semaines du premier tour de la présidentielle, le candidat Nicolas Sarkozy change de braquet et multiplie les déplacements de campagne. Un déploiement d'activité que commente de façon imagée Marine Le Pen :

« Nicolas Sarkozy me fait penser à un cancre qui ne fait rien pendant toute l'année scolaire et qui, à quinze jours du conseil de classe, met tout en œuvre pour se faire bien voir par la maîtresse... »

Kosciusko-Morizet, Mélenchon, Dupont-Aignan, Chatel, Le Pen, Fabius, Besson et Sarkozy

Florilège

Présidentielle 2012 encore et toujours avec ce petit verbatim des plus belles attaques en piqué de la campagne :

« Gauche au volant, Grèce au tournant ! » (Nathalie Kosciusko-Morizet)

« Le programme de Hollande est à prendre ou à laisser. Très bien, on laisse. » (Jean-Luc Mélenchon)

« Il ne suffit pas d'enlever sa Rolex pour être le candidat du peuple ! » (Nicolas Dupont-Aignan à propos de Nicolas Sarkozy)

« Je conseillerais à Dominique de Villepin de rebaptiser son mouvement, qui s'appelle "République solidaire", "République solitaire". » (Luc Chatel)

« Sarkozy répète ses promesses d'il y a cinq ans. À chaque fois que je l'entends, je rajeunis ! » (Marine Le Pen)

« Votre bilan, c'est votre boulet ! » (Laurent Fabius s'adressant à Nicolas Sarkozy)

« Eva Joly sera l'accident industriel de l'élection présidentielle. » (Éric Besson)

« Hollande fait semblant d'être Thatcher à Londres et Mitterrand à Paris. » (Nicolas Sarkozy)

Fillon, Morin, Hortefeux, Dati et Voynet

Lapsus fatal

Quand on parle, ce que l'on dit ne correspond pas toujours à ce que l'on pense. Mais le lapsus, lui, exprime ce que l'on pense vraiment, s'accordent à dire les psychologues. À la lumière de cet éclairage, voyez ce que nos politiques ont réellement à l'esprit... :

En avril 2011, devant les députés, le Premier ministre François Fillon évoque « les gisements de gaz de shit » (au lieu de gaz de schiste).

En février 2011, sur la radio Beur FM, le ministre de la Défense Hervé Morin assure qu'« il est difficile de faire comprendre à des cons que la défense de la France se joue à 7 000 kilomètres de son territoire, en Afghanistan » (il voulait évidemment parler des concitoyens).

Invité du « Grand Jury-RTL » le 17 octobre 2010, le ministre de l'Intérieur Brice Hortefeux parle du « fichier des empreintes génitales » (au lien des empreintes génétiques).

En 2010, la garde des Sceaux Rachida Dati défraye la chronique avec son lapsus devenu culte : « La fellation quasi nulle » (au lieu de l'inflation quasi nulle). Elle récidive en 2012 en évoquant « le gode des bonnes pratiques »...

En avril 2007, Dominique Voynet a la langue qui fourche : « Plus que jamais, il faut que les femmes se serrent les couilles... pardon, les coudes ! »

Balladur, Duflot,
Sarkozy, Woerth et Moscovici

Lapsus en sus

En 2007, Édouard Balladur mobilise les troupes de l'UMP : « L'abstention sera l'un de nos principaux obstacles. C'est donc par le bouche à bouche qu'il faudra convaincre les électeurs d'aller voter… » (Le bouche à oreille suffisait !)

En avril 2010, Cécile Duflot et Daniel Cohn-Bendit tiennent un point de presse commun. C'est elle qui s'exprime au nom des deux : « On a beaucoup réfléchi en amants…, euh, en amont… »

En 2008, s'adressant à la patronne du Medef Laurence Parisot, le président Nicolas Sarkozy trébuche : « Je fais de la démagogie… euh pardon, de la pédagogie ! »

En 2010, Éric Woerth, ministre du Budget, annonce fièrement : « J'ai lancé toutes les procédures pour renforcer la fraude fiscale ! » (Il voulait bien sûr renforcer la lutte contre la fraude fiscale…)

En mars 2012, Pierre Moscovici, directeur de la campagne présidentielle de François

Hollande, est l'invité de LCP. Il veut promouvoir le site internet www.toushollande.fr, mais sa langue fourche : « Et il y a aussi Internet, notre site "Tout sauf Hollande". »

En mai 2011, lors d'une séance du Conseil régional de Rhône-Alpes consacrée aux quotas laitiers, Michel Grégoire, le vice-président PS, s'exclame : « Il faut préserver le libre échangisme ! » (au lieu du libre échange). Un loupé d'autant plus savoureux que nous sommes alors en pleine affaire DSK à New York...

Reagan

L'humour en toutes circonstances

Le 30 mars 1981, le président américain Ronald Reagan est victime d'un attentat à Washington, à la sortie d'un grand hôtel où il vient de prononcer un discours devant des représentants syndicaux. Il est grièvement blessé d'une balle au poumon gauche. L'un de ses gardes du corps et un porte-parole de la Maison-Blanche sont également touchés dans la fusillade. À l'hôpital, Reagan trouve la force de plaisanter avec les médecins qui vont l'opérer :

« J'espère que vous êtes tous Républicains ! »

De Gaulle

L'humour en toutes circonstances (suite)

Le 8 septembre 1961, à la sortie de Pont-sur-Seine dans l'Aube, une bonbonne de gaz bourrée d'explosifs éclate au passage de la DS présidentielle, à l'arrière de laquelle de Gaulle a pris place au côté de son épouse Yvonne. Un immense rideau de flammes barre soudain la route. Le gendarme qui conduit la voiture a le bon réflexe : il accélère et franchit l'obstacle avant de s'arrêter quelques mètres plus loin. La DS est sérieusement endommagée, mais personne n'est blessé. Ce qui vaut au Général, conservant tout son humour et son sang-froid, ce commentaire laconique :

« Quels maladroits ! »

Heath

Excuses aux lavabos

« Ne faites jamais un bon mot qui puisse vous fâcher avec un ami, à moins, bien sûr, que le mot soit meilleur que l'ami », dit un proverbe anglais. Le conservateur Edward Heath, l'homme qui fit entrer l'Angleterre dans le Marché commun européen, fut un jour violemment pris à partie par un tabloïd anglais. Quelques jours plus tard, dans les toilettes d'un restaurant, il se retrouve côte à côte avec le directeur du journal en question. Gêné, celui-ci tente de se dédouaner :

« Je regrette de vous avoir attaqué d'une façon aussi dure et un peu injuste. Je vous prie d'accepter mes excuses...

– Je les accepte, répondit Heath, mais la prochaine fois, permettez-moi de souhaiter que vous m'insultiez dans les lavabos et que vous vous excusiez dans votre journal ! »

Nixon et Brejnev

Recette secrète

Dans les années 1970, Leonid Brejnev et Richard Nixon commandaient respectivement aux destinées des deux superpuissances qu'étaient alors l'URSS et les États-Unis. Leurs discussions étaient souvent tendues, mais il y avait des exceptions, à l'image de cet échange :

NIXON. « Comment fonctionne votre économie ?

BREJNEV. – C'est très simple, ils font semblant de travailler et nous faisons semblant de les payer. »

Chirac et Kohl

Nom qui fâche

Au moment où l'on commence à parler d'une monnaie unique européenne, Jacques Chirac est le président de la République française et Helmut Kohl le Chancelier allemand. Mais l'Écu (l'ancêtre de l'Euro) n'enthousiasme pas le leader germanique. En témoigne cette savoureuse discussion entre les deux hommes :

KOHL. « Les Allemands sont inquiets de la disparition du Deutschmark. On a commis toutes les fautes psychologiques possibles ! Nous n'accepterons jamais ce nom d'"'écu" qu'on veut donner à la nouvelle monnaie. Sa consonance, "kuh", veut dire "vache" dans notre langue. Il faut absolument trouver un autre nom.

CHIRAC. – Je suis de cet avis. Écu est une invention de ton ami VGE…

KOHL. – Oui, une invention de technocrate ! »

Peut-être le Chancelier songeait-il à ce moment précis à cette savoureuse tirade de Michel Audiard :

« Il y a trois méthodes traditionnellement françaises pour ruiner une affaire qui marche : les femmes, le jeu et les technocrates. Les femmes, c'est le plus marrant, le jeu, c'est le plus rapide, les technocrates, c'est le plus sûr ! »

Merkel

Trois étoiles au Michelin

Le 16 septembre 2010, en conclusion du Sommet européen, se déroule un déjeuner tendu. Les chefs d'État et de gouvernement sont en effet réunis à un moment où le différend entre la France et la Commission européenne à propos du sort des réfugiés roms atteint son paroxysme. Interrogée à la sortie du repas, la Chancelière allemande Angela Merkel résume avec humour l'ambiance qui régnait autour de la table :

« Le déjeuner s'est bien passé... pour ce qui est de la qualité des plats ! »

Van Rompuy par Farage

Le charisme du beignet

Le leader politique britannique Nigel Farage est un bretteur redoutable et redouté. Au Parlement européen où il est député, il a coutume de dire ce qu'il pense à ses interlocuteurs. Le Belge Herman Van Rompuy, président du Conseil européen, en sait quelque chose. Le 24 février 2010, en pleine séance du Parlement européen, Farage s'adresse à lui en termes choisis :

« Je ne veux pas être impoli, mais vraiment, vous avez le charisme d'une lavette humide et l'apparence d'un petit employé de banque. »

Anonyme

Faire-part inattendu

Sous le Second Empire, l'opposition républicaine ne manquait pas d'inspiration, même si elle n'était pas toujours opportune. Ainsi, le jour du mariage de Napoléon III avec Eugénie de Montijo, une épigramme anonyme fit rire le tout Paris :

« Montijo, plus belle que sage
de l'Empereur, comble les vœux.
Ce soir, s'il trouve un pucelage,
c'est que la belle en avait deux ! »

Herriot

Les diplomates, la politique, les femmes

Édouard Herriot (1872-1957) était une figure de la IIIe République. Sympathique et affable, l'illustre maire de Lyon asséna quelques bons mots et jolis coups de canif restés au Panthéon des petites phrases :

« Il y a deux sortes de diplomates : ceux qui lisent les journaux et en savent autant que nous ; ceux qui ne lisent pas les journaux et ne savent rien. »

« La politique est un chapitre de la météorologie. Et la météorologie est la science des courants d'air ! »

« La politique, c'est comme l'andouillette, ça doit sentir un peu la merde, mais pas trop ! »

« Cette femme est honnête : depuis qu'elle a pris des amants, elle ne les a jamais trompés avec son mari ! »

« Maintenant que je suis vieux, lorsque je parcours un cimetière, j'ai l'impression de visiter des appartements... »

Tardieu

Lauriers

Avant de devenir l'une des personnalités les plus en vue de la IIIe République, André Tardieu fut un brillant élève, collectionnant les distinctions au Concours général. Un peu agacé par autant de facilités, un inspecteur voulut un jour le prendre en défaut :

« Quelle était donc, Monsieur, la couleur des cheveux d'Alexandre le Grand ?

– Ils étaient verts, Monsieur, car c'étaient des lauriers », répondit le jeune Tardieu sans être troublé le moins du monde.

Garaud et Juillet

Source inépuisable

Marie-France Garaud a longtemps formé, avec Pierre Juillet, un duo inédit de conseillers pour Jacques Chirac. Dotée d'une intelligence ravageuse, elle savait se muer en juge caustique et intraitable même vis-à-vis de ses compagnons de route, comme en témoigne cette pique à l'adresse de Juillet :

« Baissez la tête pour éviter les couteaux, levez les pieds pour franchir les pièges et riez. Et lorsque vous ne saurez pas de quoi rire, riez surtout de vous, c'est un sujet inépuisable ! »

Garaud et Chirac

Pas de veine

Marie-France Garaud, on l'a dit, pouvait avoir la dent dure, au point qu'elle était parfois surnommée « la Rastignac en jupon ». Mais elle savait aussi faire preuve d'un humour moins glaçant, comme ici, lorsqu'elle évoque avec le recul des années la carrière de son ancien poulain, Jacques Chirac :

« Avec Pierre Juillet, nous n'avions pas l'intention de le mener à la présidence de la République. Lorsqu'il a conquis la mairie de Paris, nous nous sommes un peu retrouvés comme des parents soulagés d'avoir casé le petit dernier. D'ailleurs, d'habitude, on ne sort jamais de la mairie de Paris pour aller plus haut. Vous conviendrez que ce n'est pas de veine... »

Rocard

Autodérision

Reporter pour le JT de 13 h de TF1, le journaliste Jean-Luc Mano couvre le congrès du Parti socialiste et a Michel Rocard en interview lorsque sa langue fourche… :

« Ce matin, Michel Rocard a présenté son sexe au Congrès… » (au lieu de « son texte »)

Réponse amusée de Rocard : « C'est peut-être ce que j'aurais dû faire, l'accueil aurait sans doute été plus chaleureux ! »

Giscard d'Estaing

Devinette de bougnat

Pour se moquer gentiment du parler auvergnat, les Parisiens se racontaient des histoires de « bougnats ». Le jeu consistant à remplacer les « s » par des « ch ». Cela donnait des résultats amusants, comme cette devinette qu'aime à citer l'ancien président de la République Valéry Giscard d'Estaing :

« Quelle différenche egiste-t-il entre une poule et un chapon ? Ch'est chimple : une poule, cha pond, et un chapon, cha pond pas… »

Delanoë, Chatel, Baroin, Jouanno, Aubry et Bachelay

Entre amis...

« Mon Dieu, protégez-moi de mes amis. Mes ennemis, je m'en charge », disait Voltaire. En politique, les formules qui crochètent son propre camp ne connaissent pas la crise. L'exercice est acrobatique mais, lorsqu'il est réalisé subtilement, il fait mouche :

« Le vrai changement au PS, ce serait de gagner. » (Bertrand Delanoë)

« Le chef de l'État appelle parfois Brice Hortefeux pour ne rien lui dire. C'est la preuve de la qualité de leurs relations. » (Luc Chatel)

« Michelle Alliot-Marie conserve toute sa légitimité à Saint-Jean-de-Luz. » (François Baroin)

« Rachida Dati est maire du VIIe arrondissement, c'est déjà très bien ! » (Chantal Jouanno)

« Ségolène Royal aura la place qu'elle souhaite au PS, même si la plupart sont déjà occupées. » (Martine Aubry)

« Qu'on commette des erreurs en politique, c'est normal ; qu'on les commette toutes, c'est fou ! » (Le socialiste Guillaume Bachelay à propos de Ségolène Royal.)

Devedjian

Indigestion

Au moment de la composition du premier gouvernement de François Fillon, le président Nicolas Sarkozy fait la part belle à plusieurs personnalités de gauche, au détriment de fidèles serviteurs de l'UMP, dont Patrick Devedjian. L'élu a du mal à avaler la couleuvre et lâche cette petite phrase teintée d'humour et d'amertume :

« Je suis pour un gouvernement d'ouverture, y compris aux sarkozystes ! »

Quelque temps plus tard, n'ayant toujours pas digéré l'affront, il revient sur sa déception en termes plus crus :

« On ne peut pas cacher qu'il y a à l'UMP pas mal de déçus. Il y en a même qui ont mal au cul. Sarko devrait nommer un ministre de la Vaseline, à condition de le choisir dans la majorité… »

Fillon par Goasguen

Droopy, maire de Lyon

Hostile au « parachutage » de François Fillon dans la capitale en vue des élections municipales de 2014, le député et maire UMP du XVIᵉ arrondissement Claude Goasguen exprime vertement son désaccord :

« Fillon à Paris ? Droopy avec ses yeux qui tombent ? Ah, ça ne marchera pas. Fillon, il peut être maire de Lyon à la rigueur. Enfin, maire de Lyon il y a dix ans ! »

Kosciusko-Morizet et Dassault

NKM la pâlotte

Nathalie Kosciusko-Morizet est une figure politique à part. Celle que Jacques Chirac appelait avec tendresse l'« emmerdeuse » suscite des commentaires qui sortent des sentiers battus :

« Nathalie, c'est de la porcelaine, c'est magnifique mais fragile, c'est un cheval de course, un produit de luxe en politique », dit d'elle Jean-Pierre Raffarin.

Mais la poupée de porcelaine sait avoir du tempérament. Et lorsque le sénateur Serge Dassault assène affectueusement :

« Nathalie est un peu pâlotte, elle devrait se remplumer un peu. »

NKM, piquée et piquante, le rabroue fièrement :

« Lui, il devrait arrêter les UV ! »

Royal par un dirigeant PS

Ironie moqueuse

Entre 2007 et 2012, Ségolène Royal subit une série de défaites politiques majeures : à la présidentielle de 2007 (où elle est battue par Nicolas Sarkozy), au congrès de Reims (où elle est devancée par Martine Aubry), lors de la primaire socialiste de 2011 (où elle se place loin derrière François Hollande, Martine Aubry et Arnaud Montebourg), et aux législatives de 2012 à La Rochelle (où elle est balayée par le candidat socialiste local Olivier Falorni). Soucieuse de rebondir après cette série noire, elle déclare à l'été 2012 son intention de briguer la tête du PS. Une annonce qui suscite ce commentaire ironique d'un dirigeant socialiste :

« Elle a gagné tous ses combats, elle sait rassembler, elle a du flair politique, bref, elle a tout pour diriger un grand parti politique ! »

Alliot-Marie, Madelin, Chevènement, Morano, Mauroy, Barre et Bush

Lapalissades en série...

Petite énigme : savez-vous d'où vient l'expression « c'est une lapalissade » ?

Du maréchal de La Palice, mort au champ d'honneur en 1525, célébré pour son courage par cette épitaphe :

« Ci-gît le Seigneur de La Palice. S'il n'était mort, il ferait encore envie. »

Mais le « f » et le « s » s'écrivant alors de manière très proche, la phrase a été déformée au fil du temps pour devenir :

« S'il n'était mort, il serait encore en vie ! »

Une vérité absolue s'il en est...

Affirmer une évidence confine parfois à la philosophie mais, le plus souvent, le résultat est drôle ou absurde. Petite sélection de lapalissades commises par nos politiques :

« C'est en marchant que l'on trouve le mouvement, c'est en s'unissant que l'on trouve l'union. » (Michelle Alliot-Marie)

« Le remède contre le chômage, c'est de trouver du travail aux chômeurs. » (Alain Madelin)

« Le meilleur moyen d'apprendre à apprendre, c'est encore d'apprendre. » (Jean-Pierre Chevènement)

« Le vol de portables à l'arraché, ça n'existait pas avant que les portables n'existent. » (Nadine Morano)

« La gauche et la droite, ce n'est pas la même chose. » (Pierre Mauroy)

« Quand le moment est venu, l'heure est arrivée. » (Raymond Barre) « Une faible participation est une indication que moins de gens sont allés voter. » (George W. Bush)

Churchill, Séguin, Santini et Bové

Fausse modestie

Dans le pays de Rabelais, de Molière et de Coluche, le sens de l'humour et de la distance sont des qualités essentielles pour un homme politique. Les formules qui manient la (fausse) modestie et l'autodérision comptent parmi les plus drôles, mais aussi les plus rares. En voici deux, très réussies :

« Le RPR n'a rien à dire dans le débat sur la guerre du Golfe. C'est pourquoi nous avons choisi comme orateur Édouard Balladur ! » (Philippe Séguin)

« Ministre c'est bien, mais ancien ministre, ça dure plus longtemps... » (André Santini, après avoir été débarqué du gouvernement.)

« Le fait de m'incarcérer, à la rigueur, ça règlera le problème du QG de campagne... » (José Bové, lors de la présidentielle 2007.)

Coluche

Pliée en quatre

Voltaire écrivait qu'en France, « celui qui met les rieurs de son côté a gagné ». Pionnier des candidatures d'alerte sociale à l'élection présidentielle, Coluche atteint en 1981 près de 16 % des intentions de vote dans les sondages, peu avant de renoncer à se présenter. Son slogan ?

« Jusqu'à présent, la France était coupée en deux, avec Coluche, elle sera pliée en quatre ! »

Coluche

L'homme politique

« Je dis souvent des conneries en politique, mais au moins, moi, c'est parce que j'y connais rien », ironisait Coluche, qui ne manquait pas une occasion de se moquer des ténors. Petite sélection :

« Homme politique, c'est une profession où il est plus utile d'avoir des relations que des remords. »

« C'est pas compliqué, en politique, il suffit d'avoir une bonne conscience et pour ça, il faut avoir une mauvaise mémoire. »

« Je veux bien passer un accord avec les hommes politiques : qu'ils arrêtent de dire des mensonges sur ce qui nous concerne, et moi, j'arrêterai de dire la vérité sur eux... »

« On a eu deux Napoléon : Napoléon Ier, et le second en pire ! »

« Confidence d'un politique : "Ce qui m'embête, c'est que la moitié des mensonges que mes adversaires disent sur moi, sont vrais." »

« Il faut surtout pas apprendre le boulot de ministre. Parce que si tu apprends l'Agriculture, huit jours plus tard, tu te retrouves aux Finances. Faut surtout jamais savoir rien faire. Après, le type, on le met à l'Intérieur pour qu'il prenne pas froid ! »

Poutou

Merde, j'suis candidat !

Une autre candidature d'alerte sociale, beaucoup plus récente celle-là, est celle de Philippe Poutou, révélé par l'élection présidentielle de 2012. Mais le successeur d'Olivier Besancenot à la tête du NPA a eu parfois un peu de mal à entrer dans la peau du personnage :

« Je dors bien la nuit, mais quand je me réveille, j'me dis : Ah merde, j'suis candidat ! »

« Je n'ai pas l'habitude d'être seul. Normalement, on arrive chez le patron en groupe, on séquestre en groupe ! »

Il faut dire que le même Philippe Poutou, confiait à la sortie du Conseil constitutionnel (où il venait de déposer les parrainages d'élus nécessaires à sa candidature à l'élection) :

« Je suis très heureux d'annoncer ça, un peu comme si on avait eu l'Oscar, l'Oscar du petit candidat qui revient de très loin. »

Joly par Charon et Luca

Slogan

Le sénateur de Paris Pierre Charon, ancien conseiller de Nicolas Sarkozy à l'Élysée, a inventé après coup un slogan pour l'ancienne candidate d'Europe Écologie-Les Verts à l'élection présidentielle 2012 :

« Eva Joly, c'est un pour tous, tous pour un, et deux pour cent ! » (en référence au score obtenu par l'ex-magistrate).

Quelque temps auparavant, Lionnel Luca y était allé de sa définition du positionnement politique de la candidate :

« Eva Joly est dans le créneau du vert pastèque : vert à l'extérieur et très rouge à l'intérieur. »

Vallini

Bordel des années 1930 !

En novembre 2011, quelques semaines après son élection au Sénat, l'ancien député André Vallini converse avec des journalistes place du Palais-Bourbon à Paris. L'un d'eux fait remarquer au parlementaire que l'emploi du temps de sénateur n'est pas désagréable. Réponse inattendue de l'élu :

« Je suis plus souvent à l'Assemblée qu'au Sénat. Je m'ennuie là-bas, il ne se passe rien. Le Palais du Luxembourg, c'est vieillot. On dirait un bordel des années 1930 ! »

Crépeau

Après minuit...

Le député radical Michel Crépeau était lui aussi très attaché à l'Assemblée nationale. Mais pas au point d'y passer ses nuits... :

« Je n'ai jamais siégé dans l'Hémicycle après minuit. Car après minuit, on vote des conneries. À minuit, un radical dort ou baise... »

Dont acte !

Morin

Les visions d'Hervé Morin

En ce beau dimanche de janvier 2012, Hervé Morin, qui s'est lancé dans la course à la présidentielle, est en déplacement à Nice où il participe à la cérémonie des vœux du député des

Alpes-Maritimes Rudy Salles. L'assistance est composée de nombreuses personnes âgées et le leader centriste décide de s'adresser à elles en particulier :

« Vous qui, pour certains d'entre vous, avez les cheveux blancs, vous qui avez vu tout près d'ici le débarquement de Provence, moi qui ai vu en Normandie le débarquement des Alliés, nous avons vécu des épreuves drôlement plus difficiles que celles que nous avons à vivre aujourd'hui. »

En voilà un scoop ! Hervé Morin a assisté *de visu* au débarquement des Alliés en Normandie… en 1944. Pas banal pour un homme né en 1961 !

Morin par Santini et Lagarde

Savoir abandonner à temps…

À l'image de sa bourde sur le débarquement allié, la candidature d'Hervé Morin à l'Élysée a rapidement tourné à la déconfiture. Sondages en berne, manque de soutiens… plusieurs de ses amis politiques lui ont assez vite conseillé de renoncer. Certains avec humour. André Santini d'abord :

« Hervé Morin est un peu court. Il va sauter du pont de Normandie, mais je ne sais pas si l'élastique est bien fixé ! »

Puis Jean-Christophe Lagarde :

« 0 % pour un fromage, c'est bon pour la santé, mais pas pour un sondage présidentiel... »

Bayrou

Grenouilles centristes

On connaissait le célèbre théorème de la grenouille :

« Si on met une grenouille dans une casserole d'eau bouillante, elle saute pour s'en échapper ; si on met la même grenouille dans une casserole d'eau froide que l'on chauffe progressivement, elle s'habitue petit à petit à la chaleur et meurt sans même bouger. »

François Bayrou en a fait une adaptation toute personnelle :

« Rassembler les centristes, c'est comme conduire une brouette pleine de grenouilles : elles sautent dans tous les sens. »

Duflot Ministre anonyme

La patte du chien

La venue annoncée (qui ne se confirmera pas) de Jean-Marie Le Pen dans la 3e circonscription du Vaucluse aux élections législatives de juin 2012 ne fait pas peur au député UMP sortant Jean-Michel Ferrand. Comme le prouve cette amusante petite phrase d'un ministre (resté anonyme) qui l'a vu à l'œuvre : « Il connaît tout le monde dans sa circonscription. Dès qu'un chien traverse la rue, il lui serre la patte ! »

Bayrou, Hollande et Sarkozy

Vaisselle cassée !

Parmi les débats qui l'ont opposé à Nicolas Sarkozy, François Hollande confie avoir été marqué par l'un d'eux, qui s'est tenu lors de la campagne régionale de 1998. Le débat en question rassemblait Sarkozy (pour le RPR), Bayrou (pour l'UDF) et Hollande (pour le PS). Bayrou n'avait alors pas hésité à couper la parole à son allié Nicolas Sarkozy en lui lançant : « Ce que tu dis est faux, ce n'est pas la vérité. »

« À ce moment, raconte François Hollande, j'ai vu Sarkozy plonger son regard dans le mien avec l'air d'appeler au secours et j'ai lu dans ses yeux : "Ce type est fou !" C'était gênant, un peu comme quand vous êtes invité chez des gens et qu'ils commencent à se foutre la vaisselle sur la gueule… »

Garraud et Royal

Impériale contre Royal

Attaqué aux législatives de juin 2012 dans sa circonscription de Gironde par Anne-Christine Royal (cousine de Ségolène et candidate du Front national), le député UMP Jean-Paul Garraud a trouvé la parade en la personne de sa suppléante qui répond au patronyme peu commun d'Impériale !

« Mieux vaut un empire qu'un royaume, non ? » s'amuse-t-il...

Obama

Bon réveil

Alors que la campagne présidentielle américaine battait son plein, le 18 octobre 2012, avait lieu le premier des trois débats télévisés opposant les deux candidats, Mitt Romney et Barack Obama. Le président Obama avait semblé mollasson et sans entrain. Il s'était rattrapé par la suite et avait commenté ses prestations avec une bonne dose d'humour et d'autodérision :

« Comme vous l'avez remarqué, j'avais beaucoup plus la pêche lors du deuxième débat avec le gouverneur Romney. C'est normal, j'étais bien reposé après la longue sieste que j'avais faite lors de notre première confrontation. »

Placé

Esprits mal tournés s'abstenir...

Le leader écologiste Jean-Vincent Placé appartient à cette catégorie d'élus capables de dépasser les clivages politiques. Ainsi, lorsqu'il rencontre un adversaire politique qui le sollicite en tant que sénateur, il répond :

« On n'est pas du même bord et on ne joue pas la même musique. Mais même si on n'a pas le même instrument, n'hésitez pas à me saisir... »

Une déclaration à ne pas mettre en toutes les mains !

Berra

Les sans-abri aux abris !

En février 2012, une vague de froid intense s'abat sur la France. Nora Berra, secrétaire d'État à la Santé, monte au créneau pour rappeler les mesures à prendre. Mais lors de sa conférence de presse, elle s'emmêle maladroitement les pinceaux.

« Je rappelle, dans le cadre de la vague de froid qui s'abat actuellement, les principales mesures à adopter en cas de grand froid, notamment pour les populations vulnérables comme les sans-abri. En cas de grand froid donc, je recommande aux populations les plus vulnérables d'éviter de sortir... »

Tron et Mandon

Pied-de-nez

Au soir des élections législatives de juin 2012, le socialiste Thierry Mandon, fraîchement élu député de l'Essonne dans la circonscription jusqu'alors tenue par l'ancien ministre Georges Tron, commente sa victoire. Il a pour son adversaire, qu'il a battu, une pensée plutôt inhabituelle en pareille circonstance :

« Ça lui fera les pieds ! »

En référence à la plainte déposée contre lui quelque temps auparavant par deux anciennes employées de la mairie de Draveil qui l'ont accusé de harcèlement « commençant systématiquement par des massages de pieds ».

Lefebvre et Hollande

Il y a urgence

Dès son entrée en lice dans la bataille des primaires socialistes, le 31 mars 2011, François Hollande fait de la jeunesse et de l'éducation ses priorités. La droite l'attaque sur son objectif de créer 60 000 postes supplémentaires dans l'Éducation nationale. Mais le candidat a de la chance. Le 2 avril, le secrétaire d'État chargé du Commerce, Frédéric Lefebvre, commet une bourde digne du bachelier le plus cancre de France ! Interrogé sur le titre de son livre de chevet, il répond :

« *Zadig et Voltaire* ! »

La bourde donne à François Hollande l'occasion de défendre avec ironie la justesse et l'urgence de son programme :

« Frédéric Lefebvre fait preuve d'une connaissance de la littérature qui m'amène à penser que la priorité éducative est bien nécessaire dans notre pays. »

Aubry et Hollande

Faux mou

Dans la dernière ligne droite de cette campagne pour la primaire socialiste, le ton monte entre Martine Aubry et François Hollande. La maire de Lille choisit un angle d'attaque quasi unique contre son adversaire : Hollande est un mou ! C'est sur le terrain que le futur président de la République trouve la réplique. En déplacement à Amiens, auprès des salariés de Goodyear, une ouvrière lui serre la main :

« Elle n'est pas molle votre main !

– Ni la main, ni la tête. Et je ne dis rien du reste… » rétorque du tac au tac François Hollande.

Sarkozy et Hollande

C'est logique

L'esprit a besoin d'un partenaire pour s'exercer et c'est seulement dans l'échange que fleurissent les réparties. Question du journaliste :

« Comment expliquez-vous la remontée dans les sondages de Nicolas Sarkozy ? »

Réponse de François Hollande :
« Parce qu'il était très bas ! »

Hollande, Le Pen et l'UMP par Collard

Diatribes d'avocat

Élu député en 2012 sous la bannière du « Rassemblement bleu marine », le pénaliste Gilbert Collard n'a pas tardé à se faire remarquer dans les couloirs du Palais-Bourbon où il multiplie jeux de mots et petites phrases :

Sur François Hollande lors du débat sur le mariage homosexuel :

« Je n'ai rien contre quelque orientation sexuelle que ce soit, je les respecte toutes, mais je m'étonne de notre président de la République qui n'est pas marié et qui veut que tout le monde se marie ! »

Sur Jean-Marie Le Pen :

« Il ne peut s'empêcher de faire des calembours. C'est un jongleur de mots. Mais une fois sur deux, il ne rattrape pas la balle. »

Sur la stratégie de l'UMP consistant à vouloir séduire à la fois les électeurs centristes et frontistes :

« S'ils ont envie de faire le grand écart, qu'ils s'inscrivent dans une école de danse ! »

Montebourg par Coronado

Grosse tête

« L'an dernier, j'étais encore un peu prétentieux, cette année, je suis parfait ! » ironisait Frédéric Dard.

Les hommes politiques aussi sont parfois présomptueux. C'est en tous les cas ce que le député Sergio Coronado (proche d'Eva Joly) pense d'Arnaud Montebourg :

« Montebourg en réunion ? Il regarde d'abord le plafond. Prend un air très inspiré. Et commence par se citer lui-même... »

Luca

L'humour sur Twitter

Twitter est l'outil idéal pour diffuser des petites blagues. Mais en 140 caractères, les Twittos se doivent d'être précis. Ils le sont en général, ce qui donne lieu à de petits bijoux d'humour comme ceux-ci :

« La femme est une nécessité pour l'homme. On ne peut pas toujours se plaindre du gouvernement... »

« Des gens sont morts pour que vous puissiez voter. Ils y tiennent tellement que certains votent encore aujourd'hui. »

« J'ai lu un article sur les dangers de l'alcool et ça m'a donné la frousse. À compter d'aujourd'hui, j'arrête de lire ! »

Les politiques ne sont pas en reste et sont devenus en peu de temps de vrais adeptes des tweets. Lionnel Luca choisit ainsi régulièrement de distraire ses abonnés :

« Avec la canicule, impossible pour le gouvernement de geler le prix de l'essence. Pas de chance ! »

Giscard d'Estaing, Chirac, Reagan...

Coquilles de fin

Depuis que l'imprimerie existe, l'omission, l'addition ou l'inversion d'une ou plusieurs lettres sont monnaie courante. Les « coquilles », comme on les appelle familièrement, n'épargnent pas les politiques. Jugez-en avec cet amusant florilège :

Le Quotidien de Paris du 11 janvier 1981 ne craint pas de titrer :

« Giscard continue à baiser dans les sondages ! »

Le Parisien libéré annonce quant à lui une information de la plus haute importance :

« Jacques Chira demain au Salon du Livre »

Le 27 février 1975, le ministre des Finances adresse un coup de semonce à la compagnie Air France. Le lendemain *L'Humanité* commente :

« La semence de Monsieur Fourcade est certainement moins pure qu'il n'y paraît ! »

Le journal *Les Échos de la Finance* relate un événement de la politique américaine :

« Selon un sondage récent, 42 % des Américains se réjouissent de l'érection de Ronald Reagan... »

Cambacérès, après avoir été député de la Convention, devint un des dignitaires de l'Empire. Napoléon le nomma grand Chancelier. Et *Le Moniteur* relata l'information :

« Monsieur Cambacérès est nommé grand Chandelier de l'Empire ! »

Sources

La différence entre le RPR et l'UMP... : www.franceinfo.fr ; **Railleries autour du RUMP** : Échange entre l'auteur et Éric Silvestrini, 5 décembre 2012 ; **Copé-Fillon en 140 caractères** : Tweet de l'ancien directeur de la communication de l'UMP, Xavier Schallebaum, sur son compte @x_schallebaum ; **La guêpe en kimono** : Émission « Les 4 Vérités » sur France 2, 30 juillet 2012, pour le lapsus de Valérie Fourneyron ; www.lexpress.fr, 30 juillet 2012 pour la réaction de Jean-Christophe Lagarde ; **Chat noir** : *Le Parisien*, 14 juin 2012 (pour la blague initiale) et flash de 10 h de BFM TV du 24 août 2012 (pour le rebond) ; **Chat noir (suite)** : *Le JDD*, 20 mai 2012 ; **Ce qui est grave...** : Entretien de l'auteur avec Jérôme Durif, 8 septembre 2012 ; **La cible** : *Le JDD*, 12 novembre 2011 (pour Jean-Luc Mélenchon) ; la Matinale d'Europe 1, 2 avril 2012 (pour François Baroin) ; *Le Figaro*, 24 juin 2011 (pur Bruno Bourg-Broc) ; *Le Figaro Magazine*, 11 juin 2011 (pour Manuel Valls) ; interview sur RMC le 20 septembre 2011 (pour Arno Klarsfeld) ; **La veste, la sardine et le cochon** : *Les Meilleures Blagues de François Hollande*, Jean-Pierre Gouignard, Éditions Opportun, 2012 ; **Autres boutades hollandaises** : www.ozap.com, page « meilleures blagues de François Hollande », 2012 ; **La photo des JO** : *L'Équipe*, 31 juillet 2012 ; **Le féminin de candidat** : Archives du Press Club de France (Prix Humour et politique) ; **Pour reconnaître un ancien ministre...** : @patthomas (compte twitter de Patrice Thomas), 22 mai 2012 et www.tf1.fr, 2012, pour la seconde citation ; **Pas le moment de parler cucurbitacées...** : *Parlez-vous le politique ?*, Pascale Wattier et Olivier Picard, Éditions Chiflet & Cie, 2011 ; **Espoir** : www.lefigaro.fr, page « prix-humour-et-politique-2011 » ; **Les dangers de la mode** :

Entretien de l'auteur avec Alain Girard, 24 septembre 2012 ; **L'invasion des «1»** : compte-rendu du bureau communautaire du Val d'Yerres ; **Y'a pas d'sous !** : www.fatrazie.com, 2012 ; **Les émules de Vivien** : *Perles parlementaires*, Paul Quimper, Éditions Horay, 2011 ; **Le Havre vu de Chine** : www.lejdd.fr, 20 juin 2011 ; **Phrases courtes** : *Pour tout l'or des mots*, Claude Cagnière, Robert Laffont, 2000 ; **Au bout de l'ennui… :** *Pour tout l'or des mots*, Claude Cagnière, Robert Laffont, 2000 ; **Malheur et catastrophe** : *Vous n'aurez pas le dernier mot*, Jean Piat et Patrick Wajsman, Albin Michel, 2006 ; **Principes ou maîtresse** : *Vous n'aurez pas le dernier mot*, Jean Piat et Patrick Wajsman, Albin Michel, 2006 ; **Excentricité anglaise** : *Le Point* n° 2084, 23 août 2012 ; **La gaffe de Cherie** : www.atlantico.fr, page « décryptage-humour-anglais-arme-politique », 2012 ; **Leçon de socialisme** : www.atlantico.fr, page « décryptage-humour-anglais-arme-politique », 2012 ; **L'homme du MOU** : Extraits du sketch de Pierre Dac « Y a du mou dans la corde à nœud » ; **L'homme de l'os à moelle** : Extraits des sketchs de Pierre Dac « L'os à moelle » et « Arrière-pensées » ; **1 + 1 = 1** : *Libération*, 30 avril 2012 ; **Sois gentil, arrête de m'aider !** : www.dicocitations.com, 2012 ; **Potiche et pots cassés** : *Le Point* n° 2074, 14 juin 2012 et *Le Point* n° 2079, 19 juillet 2012 ; **Dis-moi qui est la plus belle… :** *Les Strauss-Kahn*, Raphaëlle Bacqué et Ariane Chemin, Éditions Albin Michel, 2012 ; **Vélo d'appartement !** : Nicolas Dupont-Aignan dans la Matinale d'Europe1, 26 janvier 2012 ; **Veuvage** : www.lefigaro.fr, page « Mon seul regret » de Stéphane Durand-Souffland, octobre 2007 ; **Association** : www.lefigaro.fr, page « Mon seul regret » de Stéphane Durand-Souffland, octobre 2007 ; **L'immobilisme est en marche !** : www.dudelire.com, page « aphorismes-Edgard-Faure », 2012 ; **Une belle mort !** : www.wikipedia.fr (page Félix Faure) et *Pour tout l'or des mots*, Claude Cagnière, Robert Laffont, 2000 (pour la partie sur les obsèques) ; **Le bal de l'école** : Archives audio du site www.alainpeyrefitte.fr, 2012 ; **Les chevilles qui enflent** : *Vous n'aurez pas le dernier mot*, Jean Piat et Patrick Wajsman, Albin Michel, 2006 ; **Rebouteux** : *Marianne* n° 769, 14-20 janvier 2012 ; **Habillés pour l'hiver** : www.lexpress.fr, article « Les snipers de la politique », 2012 ; **Tendance Gloria Lasso** : *Valeurs actuelles*, n° 3925, 16-22 février 2012 ; **Monsieur Jourdain** : www.echolalie.fr, page « ListeDePerlesEnPolitique », 2012 ; www.centpapiers.com, page « Les ânes bâtés de la République », 2012 ; *Notre temps*, n° d'avril 2012 pour

Michel Debré ; **Monsieur Jourdain (suite)** : www.echolalie.fr, page « Liste-De-Perles-E-nPolitique », 2012 ; www.dicocitations.com (2012) et www.terrafemina.com (2011) ; **Mieux que prévu** : www.lemomo2.fr, page « perles-de-politiques », 2012 ; **L'*outsider*** : www.francoisegomarin. fr, 2012 ; **Le lapin de Geoffroy** : Georges Clemenceau, *Correspondances (1858-1929)*, Sylvie Brodziak et Jean-Noël Jeanneney (dir.), Robert Laffont, 2008 ; **Moissons municipales** : Georges Clemenceau, *Correspondances (1858-1929)*, Sylvie Brodziak et Jean-Noël Jeanneney (dir.), Robert Laffont, 2008 ; **Prostate et présidence** : www.evene.fr, page « citations/Georges-Clemenceau », 2012 ; **La politique, c'est un métier** : www.suite101.fr, page « Churchill-et-ses-bons-mots », 2012 ; **Les pigeons** : www.ambre3.rmc.fr, page « Winston Churchill », 2012 ; **Tout sur l'armée** : *Le Monde selon Churchill*, François Kersaudy, Éditions Tallandier, 2011 ; **Intelligence militaire...** : www.evene.fr, page « citations/Charles-de-Gaulle », 2012 ; **Carnet rose** : www.lemomo2.fr, page « perles-de-politiques », 2012 ; **Carnet rose (suite)** : Archives du Press Club de France (Prix humour et politique) ; **Cancritude** : www.lemomo2.fr, page « perles-de-politiques », 2012 ; **Méthode Coué** : www.topito.com, avril 2012 (pour Dati et Balkany) ; *Les Perles des politiques*, Jean-Luc Mano, Éditons Jean-Claude Gawsewitch, 2011 (pour Tapie) ; *Sud-Ouest*, 16 avril 2012 (pour Joly) ; **Méthode Coué (suite)** : *Libération*, 10 août 2012 (pour Berlusconi 1) ; www.topito.com, 2012 (pour Berlusconi 2) ; *Les Perles des politiques*, Jean-Luc Mano, Éditons Jean-Claude Gawsewitch, 2011 (pour Brejnev) ; **Stock, arrosage et panique** : Site www.topito.com, 2012 (sauf www.les perlesdubac.fr, page « les perles des hommes politiques » pour Nallet et Cambadélis, 2012) ; **Le meilleur des 90'** : www.lepoint.fr, article de Christophe Deloire, « *Les bons mots des politiques* », 2012 (sauf pour Jacques Chirac : www.les perlesdubac.fr, page « les perles des hommes politiques », 2012) ; **Drôles de comparaisons** : extrait du meeting du stade Charléty le 1ᵉʳ mai 2007 (pour Ségolène Royal) ; extrait du *Nouvel Observateur*, 5 avril 2012 pour (Carla Bruni-Sarkozy) ; extrait du JT de BFM TV, 24 avril 2012 (pour Marine Le Pen) ; extrait du *Figaro*, 24 juin 2011 (pour Jean Auclair) ; **Si vous voulez...** : *Paroles de Présidents*, Jean Lacouture, Éditions Dalloz, 2011 ; **En pyjama** : *Le Figaro Magazine* n° 21070, 28 avril 2012 ; **Tablettes de chocolat** : *Vous n'aurez pas le dernier mot*, Jean Piat et Patrick Wajsman, Albin Michel, 2006 ; **Nuance** : *De Gaulle*, Paul-Marie

De la Gorce, Éditions Perrin, 1999 ; www.linternaute.fr, page « petite histoire de la télévision française », 2012 (pour la remarque sur Léon Zitrone) ; **Rebaptisés** : blog de Patrice de Plunkett (plunkett-hautetfort. com), page « archivesculture », mai 2012 ; **Fâché avec la géométrie** : www.abrobecker.free.fr, page « Contraintes d'écriture et jeux de mots », 2012 ; **Malchanceux** : www.webzinou.fr, page « Santini-bons-mots », 2012 ; **Le député le plus drôle** : www.evene.fr, page « citations/André-Santini », 2012 ; **Hérisson** : *Le Santini*, André Santini, Le Cherche-Midi, 2011 ; **Orbite** : *Le Santini*, André Santini, Le Cherche-Midi, 2011 ; **Les oreilles et le reste** : *Le Santini*, André Santini, Le Cherche-Midi, 2011 ; **Sans fioritures…** : www.droitaloubli.org, page « perso-daniel-cohn-bendit », 2012 ; **Secouez-les, secouez-les !** : citation d'Hervé de Charrette, *L'Événement du Jeudi*, 4 juillet 1987 ; perles parues dans *Les Perles des fonctionnaires*, Jérôme Duhamel, Albin Michel, 1998 ; **Mari modèle** : www.evene.fr, page « citations/Georges-Clémenceau », 2012 ; **Australien entre deux chaises** : *Le Figaro Magazine* n° 21063, 20 avril 2012 ; **La dinde et le crocodile** : Europe 1, Journal de 8 heures, 13 janvier 2012 ; **Dépôt de bilan** : *Le Point* n° 2058, 23 février 2012 ; **Jouvence de l'Abbé Soury** : Brice Hortefeux dans la Matinale d'Europe 1, 23 janvier 2012 ; **Candidat siphonné !** : *Le Canard enchaîné* n° 4774, 25 avril 2012 ; **La bonne moitié** : Extrait de « Des paroles et des actes », 23 février 2012, France 2 ; **La pute et la chaisière** : www.lexpress.fr, pages « actualités-politiques », semaine du 27 février 2012 ; **Christine la menace** : Matinale d'Europe 1, 14 février 2012 ; **Le cancre** : Interview de Marine Le Pen, *Le Figaro*, 10 avril 2012 ; **Florilège** : *Valeurs actuelles* n° 3935, 26 avril-2 mai 2012 ; **Lapsus fatal** : www.montrafic.com, 2012 (sauf www.letelegramme.com pour Rachida Dati et www.francesoir.fr pour Dominique Voynet, 2012) ; **Lapsus en sus** : *Notre temps*, n° d'avril 2012, article « Gaffes, lapsus, prendre le parti d'en rire », sauf Pierre Moscovici (interview sur La Chaine parlementaire, 14 mars 2012) et Michel Grégoire (tiré de *Lapsus politicus*, Patrick Levy, Waitz, Éditions du Moment, 2011) ; **L'humour en toutes circonstances** : Site internet de Radio Canada (www.radio-canada.ca), 2012 ; **L'humour en toutes circonstances (suite)** : *Valeurs actuelles*, n° double 3950-3951, 9-22 août 2012 ; **Excuses aux lavabos** : *Pour tout l'or des mots*, Claude Cagnière, Robert Laffont, 2000 ; **Recette secrète** : www.library. madeinpresse.fr, 2012 ; **Nom qui fâche** : *Le Temps présidentiel – Mémoires*,

Jacques Chirac, Éditions Nil, 2011 ; www.dicocitations.com, page « Audiard », 2012 (pour la tirade de Michel Audiard) ; **Trois étoiles au Michelin** : www.wikipédia.fr, page consacrée au « Prix de l'humour politique européen » ; **Le charisme du beignet** : www.wikipédia.fr, page consacrée au « Prix de l'humour politique européen » ; **Faire-part inattendu** : www.detambel.com, page « propositions d'écritures », 2012 ; **Les diplomates, la politique, les femmes** : *L'Art de la politique*, Gaston Bouthoul, Éditions Seghers, 1969 et www.citation-du-jour.fr, page « citations-edouard-herriot », 2012 ; **Lauriers** : *Pour tout l'or des mots*, Claude Cagnière, Robert Laffont, 2000 ; **Source inépuisable** : Raphaëlle Bacqué, *Le Monde*, 26 mai 2006 ; **Pas de veine** : Raphaëlle Bacqué, *Le Monde*, 26 mai 2006 ; **Autodérision** : www.montrafic.com, mars 2012 ; **Devinette de bougnat** : *Pour tout l'or des mots*, Claude Cagnière, Robert Laffont, 2000 ; **Entre amis...** : www.liberation.fr (septembre 2010) ; www.lexpress.fr (article « Les snipers de la politique ») et *Parlez-vous le politique ?*, Pascale Wattier et Olivier Picard, Éditions Chiflet & Cie, 2011 (pour Chantal Jouanno) ; **Indigestion** : page Wikipédia de Patrick Devedjian, 2012 ; **Droopy, maire de Lyon** : *UMP, un univers impitoyable*, Neila Latrous et Jean-Baptiste Marteau, Flammarion, 2012 ; **NKM la pâlotte** : *M, le magazine du Monde*, 4 février 2012 ; **Ironie moqueuse** : *Le Point* n° 2075, 21 juin 2012 ; **Lapalissades en série...** : *Politiques et langue de bois*, Olivier et Nicolas Clodong, Eyrolles, 2009 (sauf, *Notre temps*, n° d'avril 2012 pour la phrase de Jean-Pierre Chevènement et l'origine du mot « lapalissade », et www.lexpress.fr, septembre 2011, pour la phrase de Nadine Morano) ; **Fausse modestie** : www.evene.fr, page « citations/Winston-Churchill » (pour Churchill) ; www.lepoint.fr, page « les-bons-mots-politiques » (pour Seguin) ; www.lexpress.fr, page « les-snipers-de-la-politique » (pour Santini) ; www.tf1.fr, 2007 (pour Bové) ; **Pliée en quatre** : www.leparisien.fr, article de Martine Chevalet publié le 15 janvier 2012 ; **L'homme politique** : *Coluche, encore plus drôle*, Éditions du Cherche-Midi, 2012 ; **Merde, j'suis candidat !** : *Le Figaro Magazine* n° 21063, 20 avril 2012 pour les deux premières phrases et journaux de I-Télévision du 13 mars 2012 pour la phrase sur l'Oscar ; **Slogan** : www.lefigaro.fr de mai 2012 (pour Charon), *Le JDD*, 17 juillet 2011 (pour Luca) ; **Bordel des années 1930 !** : *Le Petit Journal* de Yann Barthès, Canal+, 25 novembre 2011 ; **Après minuit...** : *Le Canard enchaîné*, 24 décembre 1997 ; **Les visions d'Hervé Morin** : www.lefigaro.fr,

23 janvier 2012 (http://www.lefigaro.fr/flash-actu/2012/01/23/97001) ;
Savoir abandonner à temps... : Archives 2012 du Prix Press Club
« Humour et politique » ; **Grenouilles centristes** : www.modem28.
fr, 2011 ; **La patte du chien** : *Le Figaro Magazine* n° 21028, 10 mars
2012 ; **Vaisselle cassée !** : *Valeurs actuelles* n° 3930 du 22 au 28 mars
2012 ; **Impériale contre Royal** : *Valeurs actuelles* n° 3930 du 22 au
28 mars 2012 ; **Bon réveil** : *Le Point*, 25 octobre 2012 ; **Esprits mal
tournés s'abstenir...** : Entretien de l'auteur avec Jean-Vincent Placé,
6 septembre 2012 ; **Les sans-abri aux abris !** : Conférence de presse de
Nora Berra du 4 février 2012, retransmise sur BFM TV ; **Pied-de-nez.** :
ww.actualitepolitique.com, page « georges-tron-thierry-mandon », 2012 ;
Il y a urgence : www.parismatch.com, page « L'humour hollandais
de A à Z », 2012 ; **Faux mou** : *Les Meilleurs Ennemis. L'histoire secrète
de la primaire socialiste*, Hélène Fontanaud et Sophie Landrin, Fayard,
2011 ; **C'est logique** : *Le JDD* du 21 août 2011 ; **Diatribes d'avocat** :
www.lepoint.fr, page « Le best of des diatribes de Gilbert Collard », posté
le 13 juillet 2012 ; **Grosse tête** : *Le JDD*, 26 août 2012 (pour Sergio
Coronado) et www.linternaute.com (pour Frédéric Dard) ; **L'humour
sur Tweeter** : @sylvain_marcoux (tweet 1), @eric-marcotte (tweet 2),
@100_blagues (tweet 3), @lionnelluca2012 (tweet de Lionnel Luca) ;
Coquilles de fin : *Pour tout l'or des mots*, Claude Cagnière, Robert
Laffont, 2000.

Olivier Clodong est un spécialiste de la communication politique. Directeur scientifique à l'École supérieure de commerce de Paris (ESCP Europe), il est aussi conseiller politique et a dirigé plusieurs grandes campagnes électorales (tout récemment encore pour Jean-Marie Cavada et Nicolas Dupont-Aignan...).

Il est l'auteur de plusieurs livres :

Quand les politiques se lâchent! Bons mots, lapsus et vachardises..., Mille et une nuits, 2011.

Le Storytelling en action. Transformer un politique, un cadre d'entreprise ou un baril de lessive en héros de saga!, avec Georges Chétochine, Eyrolles, 2009.

Politiques et langue de bois, avec Nicolas Clodong, Eyrolles, 2006.

La Grande Arnaque. Comment on manipule le consommateur, Eyrolles, 2006.

Kestudi? Comprendre les nouvelles façons de parler, avec Charlotte Pozzi, 2005.

Pourquoi les Français sont les moins fréquentables de la planète, avec José-Manuel Lamarque, Eyrolles, 2005.

Mille et une nuits propose des chefs-d'œuvre pour le temps
d'une attente, d'un voyage, d'une insomnie…

La Petite Collection (extrait du catalogue) 577. CICÉRON, *Traité des devoirs*. 578. Pierre-Joseph PROUDHON / Émile ZOLA, *Controverse sur Courbet et l'utilité sociale de l'art*. 579. Paul ACHARD, *La Queue*. 580. VOLTAIRE / ROUSSEAU, *Querelle sur le Mal et la Providence*. 581. Marie-Joseph CHÉNIER, *Dénonciation des inquisiteurs de la pensée*. 582. Auguste RODIN, *Faire avec ses mains ce que l'on voit. Textes, lettres et propos choisis*. 583. Théophile GAUTIER, *Le Club des Hachichins*. 584. Blaise PASCAL / Jacqueline PASCAL, *Les Mystères de Jésus*. 585. Sébastien BAILLY, *Les Zeugmes au plat*. 586. David HUME, *Essais sur le bonheur. Les Quatre Philosophes*. 587. Henri ROORDA, *Le Rire et les Rieurs*. 588. POLYEN, *L'Art du mensonge. Ruses diplomatiques et stratagèmes politiques*. 589. ALAIN, *L'Instituteur et le Sorbonagre. 50 propos sur l'école de la République*. 590. Josiah WARREN, *Commerce équitable*. 597. Henri ROORDA, *Le Pédagogue n'aime pas les enfants*. 598. Émile ZOLA, *Lettres à la jeunesse*. 599. Léon TOLSTOÏ, *Un musicien déchu*. 600. PLATON, *Euthyphron*. 601. ARISTOPHANE, *Ploutos, dieu du fric*. 602. Jean-Jacques ROUSSEAU, *Deux lettres sur l'individu, la société et la vertu*. 603. Edgar Degas, *« Je veux regarder par le trou de la serrure »*. 604. Edmund BURKE, *Lettre à un membre de l'Assemblée nationale de France sur la Révolution française et Rousseau*. 605. Georges FEYDEAU, *L'Hôtel du Libre Échange*. 606. Jean GRAVE, *Ce que nous voulons et autres textes anarchistes*. 607. Hippolyte TAINE, *Xénophon, l'Anabase*. 608. Alfred DELVAU, *Henry Murger et la Bohème*. 609. David HUME, *La Règle du goût*. 610. Henri BERGSON, *Le Bon sens ou l'Esprit français*. 611. POLYEN, *Ruses de femmes*. 612. Henri ROORDA, *À prendre ou à laisser. Le programme de lecture du professeur d'optimisme*.

Pour chaque titre, le texte intégral, une postface,
la vie de l'auteur et une bibliographie.

42.40.0696.7/01
Achevé d'imprimer en janvier 2013
par La Nouvelle Imprimerie Laballery (Clamecy, France).
N° d'impression : 212207